1er janvier 2010

Mireille,

j'espère que tu aimeras mon roman et qu'il te donnera le goût d'aimer encore plus fort. Affection.

Bonne lecture.

François

Les Rendez-vous secrets
François Mercier

Nous remercions le Conseil des Arts du Canada pour l'aide apportée à notre programme de publications.

 Conseil des Arts du Canada **Canada Council for the Arts** Société de développement des entreprises culturelles Québec

ISBN13   978-2-89396-327-3

Dépôt légal — 3e trimestre 2009
Bibliothèque et Archives nationales du Québec
Bibliothèque nationale du Canada

Illustration de la couverture : François Mercier

228 de la Lande, Rosemère
Québec, Canada J7A 4J1
Téléphone : 450-965-6624
Télécopieur : 450-965-8839
info@nouvelleoptique.com
www.nouvelleoptique.com

Les Rendez-vous secrets

ou

Même si la vie est éphémère,
il arrive parfois que l'amour y échappe.

François Mercier

nouvelle optique

Pour tous les Mario,
les Claire
et les Réal de la terre

Merci à Réal-Gabriel Bujold,
Carole Bazinet, Léandre Bibeau,
Ghislaine Grand, Denise Ally
et Gabriel Lacasse.

Le temps que l'on prend pour dire je t'aime
c'est le seul qui reste au bout de nos jours.

Gilles Vigneault

Préface

Je n'ai jamais publié de roman. Mais je suis pourtant attaqué à quelques reprises à des sujets que je croyais porteurs de substances adéquates. Mais chaque fois, après cinquante pages ou cent quarante pages d'écriture, je coupais court et rangeais les manuscrits dans le classeur aux souvenirs à oublier.

Par manque de conviction, de confiance ou de ténacité ? Un peu des trois ? Ce qui ne signifiait pas que je renonçais à de nouvelles tentatives. Au contraire, je me disais qu'un jour, je parviendrais à me rendre jusqu'au bout d'une œuvre romanesque à la fin de laquelle je déposerais mon stylo et me dirais : Voilà le rêve le plus tenace que j'entretiens depuis longtemps déjà. Et le jour où il s'accomplira, ma vie sera mieux remplie. Qu'importe le reste !

Cela dit, je me pose la question la plus simple qui soit : Qu'est-ce qu'un bon roman ? Et ma réponse est des plus courtes : C'est le récit d'une aventure inspirante.

Sur un ton intimiste où règne une profonde tendresse, François Mercier nous livre un roman d'amour et d'amitié contemporain. Dans l'univers qu'il nous présente, les passions sont rattachées à des bonheurs que l'on peut qualifier d'inoubliables !

Marcel Dubé

– 1 –
Le lapin et le raton laveur
– 1978 –

Penser que je pourrais l'aimer, c'est m'avouer que je l'aime déjà un peu. Du moins, c'est ce que je me suis dit la première fois que j'ai vu Jean. À cette époque, je travaillais dans une boutique d'animaux. Les pieds endoloris, je terminais ma journée de travail assis sur un banc public, quand il est passé de l'autre côté de la rue.

Accompagné de trois autres gars de son âge, il se dirigeait d'un pas nonchalant vers l'entrée du Conservatoire. Leurs rires se projetaient en écho entre les maisons de l'étroite rue Saint-Stanislas. Avec ses cheveux décoiffés et ses lunettes de travers, il semblait fait pour la vie; ou plutôt, la vie semblait avoir été créée pour lui. Un sentiment de liberté émanait de ses gestes alors, pour mieux le connaître, j'ai observé l'aisance de ses moindres mouvements. Devant la grande porte du Conservatoire, ils ont échangé quelques paroles, puis il s'est dirigé seul vers la rue Saint-Jean. Il allait traverser dans ma direction lorsque l'un des trois autres gars lui a crié : « Jean, n'oublie pas de lui acheter de l'herbe! » Ça devait être une bonne blague, car il s'est mis à rire de bon cœur. C'était un rire insouciant, comme celui des gens qui n'ont pas de problème. Son pas s'est fait plus rapide et il a disparu au croisement de la rue. Je suis resté seul sur le banc, son rire dans la tête.

Soudain, l'espace autour de moi m'apparut vide. J'ai prononcé doucement son prénom et j'ai été déçu de ne pas déjà le connaître. Sans le vouloir, ce gars-là me renvoyait à une certaine façon de vivre qui n'était pas la mienne. Pendant quelques secondes, j'ai regardé mes mains, mes vêtements, mes souliers et je me suis senti bien ordinaire. Alors, j'ai fait un effort pour me rappeler comment il était exactement. Ses cheveux étaient plus longs que les miens, d'un brun foncé qui m'avait toujours fait envie. Il portait une veste de cuir ouverte sur ses jeans. En réalité, nous avions sensiblement les mêmes vêtements, toute la différence venait de la façon de les porter. De mon enfance, j'avais conservé l'habitude de traiter mes vêtements avec soin, je pouvais même porter une chemise pendant des années sans qu'elle ne perde son apparence neuve. Une caricature de moi-même m'a traversé l'esprit et je me suis vu soumis à mes vêtements : limiter mes gestes pour ne pas les salir, ne pas sauter comme j'en avais envie par peur de les abîmer. Les jeans que portait le beau Jean étaient sales par endroits. Sa veste de cuir était usée. Ses vêtements ne faisaient pas que le protéger : il s'en servait, sans craindre d'y laisser sa marque. Mes réflexions me poussaient à croire que j'étais au service de la vie alors que lui en profitait, tout simplement. La vie suivait ses pas.

J'en étais à me dire qu'il avait compris quelque chose que je cherchais encore quand il est repassé de l'autre côté de la rue. Une belle fille se tenait à son bras, je pouvais voir son visage et sa façon, à elle, de le regarder. Elle était amoureuse. Son sourire n'annonçait que des mots tendres. Avant d'entrer au Conservatoire, elle l'a entraîné contre le mur et elle approchait déjà son visage du sien pour l'embrasser quand j'ai fermé les yeux.

Plus tard, près de la maison de mes parents, j'ai regardé le fleuve en me répétant : « Les vêtements n'y sont pour rien. C'est une question d'attitude, d'aisance, de corps … »

Comme je l'avais fait un an auparavant, le soir de mes dix-huit ans, j'ai marché sur la grève du Saint-Laurent. Mais avant d'entrer dans la maison, j'ai repensé à cette conversation que j'avais eue avec mon père ce soir-là.

— Que tu dormes à gauche ou à droite, ça n'est pas grave; l'important, c'est que tu passes une bonne nuit!

— Papa, tu es un homme intelligent, réponds-moi honnêtement. Je te dis que je suis homosexuel et tu me parles de passer une bonne nuit!

— Est-ce qu'il faut que je t'engueule pour que tu comprennes que j'ai compris?

— Je pense que oui. Je me suis senti coupable, pendant trop de temps, pour accepter que tu le prennes aussi facilement, presque en souriant.

— Mon sourire ne vient pas de ce que tu m'annonces, mais plutôt de penser que tu apprends à devenir qui tu es. Tu sais, la perfection est de mise dans notre famille : on veut être honnête. Plaire à tout le monde. Mais c'est pas toujours possible. T'es pas obligé de toujours tout dire et espérer une approbation. Ta vie peut être semblable à un navire sur le fleuve, alors choisis bien ton équipage. Et n'oublie jamais que nous sommes toujours seuls face à nous-mêmes. De toute façon, il est préférable d'être seul dans son bateau, pourvu qu'il avance là où on veut qu'il aille.

— Ça me déçoit tellement de ne pas être ce que je croyais être.

– On passe sa vie à s'adapter à ses propres déceptions. On souhaiterait avoir cent pour cent de bonheur et on n'en obtient que cinquante pour cent; parfois vingt pour cent, dix pour cent, de ce qu'on souhaiterait pour être en paix. Le plus difficile, c'est de trouver un sens pour continuer à vivre, quand finalement on n'a que zéro pour cent. Tu verras en temps et lieu.

Après cette première conversation avec mon père où nous avions choisi d'être honnêtes l'un envers l'autre, j'ai compris que je devenais quelqu'un d'autre. Je me transformais en une sorte de navire. Je ne connaissais pas encore les imperfections de mon père, qui le rendait si humain avec les humains, mais j'en saisissais suffisamment pour entrevoir qu'il serait là le jour où j'aurais besoin de lui.

J'étais déjà conscient qu'il y aurait des vagues. Un paquebot qui avance ne peut passer inaperçu et je l'acceptais déjà!

Depuis, je me rendais un ou deux soirs par semaine au bar *Le Ballon*. C'était le seul bar gai que je connaissais et, malgré l'épaisse fumée qui s'y trouvait, c'était pourtant l'unique place au monde où je pouvais respirer librement. Dès le premier soir, je m'y suis senti à ma place, apprécié, encouragé dans ce que j'étais et, surtout, désiré par des hommes dont je n'aurais jamais cru attirer l'attention. Immanquablement, je commençais mes soirées par observer les gens qui dansaient, buvaient, fêtaient autour de moi. Je les comptais sur mes doigts : « Lui, lui, lui, elle, lui, elle... Ils sont tous homosexuels! » Mon petit rituel me rassurait. Pour sa part, ma mère était trop religieuse pour apprécier que je fréquente un bar gai et s'arrangeait pour me le faire savoir. Il faut dire qu'elle avait un cœur gros comme un presbytère et que ses attentes atteignaient parfois les proportions d'une cathédrale. Elle avait l'habitude de ne rien demander en son nom personnel et utilisait toujours des formules de politesse quand elle espérait quelque chose de moi ou de mes sœurs. Malgré les efforts qu'elle déployait pour dissimuler ses reproches, la crainte de la décevoir, de la transformer en martyre vivante au vu et au su de tous, demeurait présente après chacune de nos discussions. Comprenant à l'avance que la moindre de ses remarques s'appuierait sur la religion catholique tout entière, j'avais développé l'habitude d'éviter toute confrontation avec elle. L'envie ne me manquait pourtant pas de lui dire que sa religion lui avait enlevé sa capacité de juger par elle-même, mais je me taisais. L'approbation de mon père m'était acquise et c'était déjà beaucoup. Il n'employait jamais les mots que j'espérais entendre, n'utilisait rarement le « je », mais derrière ses métaphores, je devinais l'espoir dont j'avais besoin. C'est donc en toute connivence qu'il demeurait dans le salon pendant que je sortais par la porte de la cuisine pour me rendre au *Ballon*. Un soir, ma sœur Gabrielle m'a demandé avant que je sorte : « Est-ce que c'est vrai que les gars sont plus beaux que dans les bars hétéros? » Un peu rassurée par ma réponse, elle m'a souhaité une « bonne soirée ». Ce fut pour moi le premier indice qui me témoignait que ma famille commençait à s'adapter à ma vie; je suis sorti de la maison le cœur encore plus léger qu'à l'habitude.

Au collège, mes copains Guy et Léandre se sont rendu compte de ma transformation et m'ont demandé de les amener au « Ballon magique ». Comme moi, ils ont pris l'habitude de s'y rendre les fins de semaine pour refaire le plein d'oxygène. Avec eux, je m'amusais bien, mais ça ne m'empêchait pas de m'ennuyer de mon ami d'enfance Mario. Pendant plus de onze ans, Mario avait été mon confident, puis à la fin de nos études secondaires, il était parti à Vancouver pour assumer plus librement sa vie! Je recevais de ses nouvelles à l'occasion. De brèves cartes postales m'informaient de ses découvertes, de ses emplois de fortune et de ses amours. Nos destins s'éloignaient de plus en plus, pourtant j'avais bien souvent l'impression qu'il était la seule personne au monde à qui je pouvais tout dire. Je rêvais encore ma vie et lui la réalisait. C'est donc parce qu'il n'était plus là, que Guy et Léandre se sont retrouvés les premiers à qui j'ai raconté mes émois amoureux. Ils surent de près comment j'ai séduit, puis laissé tomber mon premier et mon deuxième *chum*. Probablement parce qu'ils faisaient la même chose que moi, ils ne m'ont jamais fait de reproches sur ma façon d'agir. Sans culpabilité, j'avais approché, puis abandonné deux gars. Cette désinvolture m'amusait, j'espérais plus de l'amour sans pour autant savoir quoi. Alors, quand j'ai raconté à Guy et Léandre que j'avais laissé un peu de mon cœur sur un banc public pour un p'tit brun avec des lunettes, ils se sont bien amusés à mes dépens.

Les semaines passaient, mais le rire de Jean demeurait dans ma tête. Plusieurs fois, juste pour le revoir, je m'étais attardé rue Saint-Stanislas à proximité du

Conservatoire. Je n'avais pas l'intention de devenir amoureux d'un gars hétéro, quand je pouvais intéresser cinquante hommes homosexuels, désirables et accessibles au *Ballon*. Mais je cherchais un moyen de me libérer l'esprit de son souvenir. Puis, un soir de juin, Guy, Léandre, Pierre et les autres m'ont fixé un rendez-vous sur la terrasse Dufferin pour assister au spectacle de la Saint-Jean-Baptiste. J'avais pris l'autobus pour être à l'heure prévue. Mes amis ont supposé que je m'étais perdu dans la foule, car ils ne m'ont pas rencontré ce soir-là. Sur ma route, à la sortie d'un restaurant où je n'étais jamais allé, j'avais revu Jean.

Malheureusement pour moi, tels des acolytes pour la vie, ses trois copains du Conservatoire l'accompagnaient encore. L'idée de perdre à nouveau sa trace me donna le goût de les suivre dans la rue. D'un pas rapide, j'ai marché à la même cadence qu'eux, mais sur le trottoir opposé. À cette distance, je pouvais constater que son charme opérait toujours sur moi. L'aisance de ses mouvements demeurait semblable à la première fois et j'ai ressenti de nouveau que quelque chose gigotait en moi. Ce gars-là avait décidément trop d'effets sur moi pour que je le laisse aller sans m'en occuper.

Dans la rue, la plupart des gens marchaient en direction de la terrasse Dufferin; eux, se dirigeaient dans le sens contraire vers le carré d'Youville. Je craignais de les voir disparaître dans un taxi ou entrer quelque part quand soudain, un peu plus loin, ils se sont glissés derrière la porte du *Ballon*.

Y voyant un signe de ma bonne étoile, deux minutes plus tard, le cœur gonflé d'espoir, je me suis engouffré dans l'épaisse fumée du bar surchauffé. Occupé à le retrouver, je n'ai pas cherché, cette fois-là, à compter les fêtards qui m'entouraient. D'ordinaire, mes petites habitudes me dictaient de commander ma bière à Régis, au bar près de l'entrée mais, comme j'avais repéré Jean au bar du fond, c'est là que j'ai commandé ma consommation. Jean avait demandé une bière à la barmaid et lui avait dit des choses que je n'avais pas entendues mais qu'elle avait trouvées drôles. Les quatre compères se tenaient non loin de moi, mais la musique enterrait leurs paroles. Il fallait que je trouve un moyen de les aborder pour le connaître. Soudain, j'ai constaté que le grand Gaétan Godbout occupait le tabouret juste derrière Jean. Malgré mon manque d'intérêt pour lui, Gaétan s'était toujours montré content de me parler. En me voyant m'approcher de lui, il a entamé la conversation. C'est ainsi que je me suis retrouvé à moins de deux pieds de la nuque de Jean. Elle n'était pas que troublante, elle semblait être chaude et moite. Mes mains s'agitaient toutes seules et je répondais distraitement aux questions de Gaétan. J'essayais d'orienter la discussion pour entrer en contact avec nos voisins, mais l'inspiration ne venait pas. Dès que les copains de Jean eurent tourné la tête dans ma direction, sans tenir compte de ce que Gaétan me disait, d'une voix sciemment trop forte, j'ai demandé : « Qu'est-ce que tu penses, toi, des gars qui portent des lunettes? » Gaétan m'a répondu sans que je ne l'écoute. Le plus grand des trois amis de Jean m'a regardé, amusé, et lui, le beau Jean à lunettes, n'a rien fait.

Téméraire devant sa passivité, j'ai ajouté : « Pour moi, c'est un atout de plus. Lorsqu'un homme s'approche de moi et qu'il enlève lentement ses lunettes, ça me fait l'effet d'un apéritif et je peux entrevoir la suite... Présager de ses intentions. Un matin, j'aimerais être attendri par la vulnérabilité d'un gars endormi dans mon lit, alors que ses lunettes reposeraient sur ma table de chevet... À ma merci. » Seul le grand Gaétan a réagi. Il me trouvait très drôle, sans saisir qu'une seule personne autour de nous portait des lunettes et que ce n'était pas lui!

À ce moment-là, Grace Jones chantait *LA VIE EN ROSE* et, comme c'était la chanson de l'été à laquelle personne ne pouvait résister, je me suis approché pour inviter Jean à danser. Ma voix devait être nouée dans ma gorge, car il n'a pas réagi. Entre l'agressivité et la déception, je me suis entendu lui crier à l'oreille : « Tu veux ou tu veux pas? » En moins de deux, il s'est retourné. Nous étions face à face. Je ne savais quoi dire. Par contre, lui semblait bien heureux de me voir mal à l'aise, et ne montra aucun signe d'inconfort. Présumant qu'il attendait de moi des explications, je l'ai réinvité à danser. Avant de me répondre, il laissa circuler son regard sur moi comme s'il évaluait une marchandise et, le sourire aux lèvres, il m'a dit : « Avec toi! (Silence) Oui. »

À l'instant où nous commencions à danser débutait une nouvelle chanson que je détestais. Avec l'arrivée du *Ballon* dans ma vie, j'avais acquis une certaine confiance en moi, en mon charme. Par réflexe, je ne m'attardais qu'aux hommes qui me manifestaient d'abord leur intérêt; c'était pour moi une bonne façon de partir gagnant, naturel et paradoxalement en opposition avec le pétrin dans lequel je m'enfonçais. Mon partenaire de danse me semblait plus prétentieux qu'heureux de me connaître, mais peut-être que son attitude venait d'un manque de communication? Alors, à peine après une minute de danse, j'ai eu l'idée de lui offrir de retourner au bar pour discuter un peu, mais encore une fois je me suis entendu dire ce que je ne voulais pas : « Tu sais, je n'avais pas vraiment envie de danser... » Il s'est arrêté sur-le-champ et, avant de rejoindre définitivement ses amis, il m'a dit : « La prochaine fois, essaie donc de savoir ce que tu veux! »

Si c'était ça la perte de contrôle engendrée par le coup de foudre, je préférais m'en éloigner en accéléré et laisser ce genre de situation aux plus fous que moi. À l'autre extrémité du bar, j'ai terminé ma bière sans en apprécier la saveur.

***

Roxanne avait la réputation d'être une des plus belles filles de Québec. Elle savait s'occuper d'un vestiaire comme personne et elle entretenait avec les clients réguliers du *Ballon* des échanges personnalisés où chacun semblait être traité individuellement, comme s'il était un être unique. Tous mes amis trouvaient qu'elle ressemblait à Catherine Deneuve et j'étais bien obligé de reconnaître une certaine ressemblance. Je crois qu'elle m'aimait bien, ou du moins, qu'elle appréciait mes conseils concernant la santé de son « p'tit amour de chien ». J'attendais pensivement qu'elle me remette mon veston de jeans quand elle s'est penchée sur le comptoir pour crier à un client derrière moi : « Jean, viens me voir. Je l'ai, la revue que tu voulais. » Je n'ai pas bougé et ne me suis pas permis de croire à une coïncidence et, quand ses lunettes sont passées à côté de moi pour embrasser la belle incontournable, j'ai compris que la ville de Québec était trop petite pour Jean et moi.

Roxanne et Jean parlaient d'un article qu'elle avait conservé pour lui et, malgré mes gestes d'impatience, elle « s'entêtait » à terminer leur « précieux entretien ».

J'en avais assez d'attendre, je voulais seulement retourner chez moi en laissant mon veston au vestiaire, lorsque Roxanne s'est retournée vers moi :

– Je pense que ça devient vraiment trop difficile pour moi de travailler dans un bar gai. Non, mais as-tu vu sa belle petite gueule? Y donnerait le goût à n'importe qui de faire des folies!

Avant que j'aie eu le temps de répondre, Jean rétorquait :

– J'en connais un, qui n'est pas très loin, encore une fois, qui est capable de produire de jolis allers-retours.

Exaspéré, j'ai agité mon ticket, ai finalement pris mon veston et suis sorti du bar comme s'il était en feu. La soirée était déjà trop longue pour que j'aie le goût de la rendre interminable.

Malgré l'heure tardive, plusieurs personnes marchaient tranquillement sur le trottoir. J'en étais évidemment agacé. J'étais encore trop près du *Ballon* pour repenser aux paroles de Jean et les comprendre quand j'ai entendu :

– Ouf, tu marches vite. Je peux te parler?

– Pour me dire quoi ?

— Des excuses si tu veux.

— Fais-le donc, ce serait peut-être drôle. Quand un gars fait l'effort de venir te parler, tu pourrais en être fier au lieu de grogner.

— Ça dépend de qui m'aborde et de comment il le fait.

— J'ai été maladroit, mais t'aurais pu trouver ça flatteur !

Dans un fou rire à peine retenu, Jean répondit :

— T'as une bonne opinion de toi pour croire qu'on peut trouver ça amusant de se faire dire des niaiseries juste parce que tu es *cute*.

— Tu te prends pour qui pour me dire des affaires de même?

— Disons que c'est mon petit côté gaspésien. Je manque un peu de tact parfois. Mais je me prends pas pour un autre.

— S'ils sont tous comme toi en Gaspésie, je préfère ne pas en connaître d'autres.

— Non, ils sont pas tous comme moi. C'est plutôt dans ma famille qu'on est pas mal directs. Disons qu'on aime bien dire qu'un chien est un chien.

— Et t'es en train de me dire que je suis un chien?

— Je pensais que t'en étais un. Mais tu te sauves à chaque fois que je veux m'amuser avec toi. Tu dois pas être un vrai chien.

— D'après toi, c'est quoi un vrai chien?

— Commence d'abord par ralentir le pas, on n'est pas dans un marathon télé. Tu connaîtras ma définition après.

Comme il le souhaitait, nous nous sommes mis à marcher plus lentement.

— Bon, alors c'est quoi un vrai chien pour toi?

— C'est le genre de gars qui cueille une fleur parce qu'il pense que c'est la plus belle. Il la place ensuite à sa boutonnière. Quand il en trouve une deuxième, un peu plus jolie, il jette la première pour s'emparer de la deuxième.

— C'est ce genre de gars-là que tu penses que je suis? Tu ne me connais même pas. Tu es bien mal placé pour me faire la morale.

— Je t'ai déjà observé sans que tu le saches, et ce que j'ai vu m'a permis de tirer certaines conclusions.

— Et puis quoi encore?

— · Au printemps dernier, un dimanche après-midi, je me suis rendu au bar de la Gorgendière pour le 5 à 7. En m'y rendant, je t'ai croisé sur la route et je t'ai trouvé attirant. Tu m'as fait penser à un Italien du Nord. Tu sais, le genre que Michel-Ange choisissait comme modèle... Et qui sait depuis qu'il est au monde à quel point il fait tourner les têtes. À la place Royale, un gars t'attendait sur les marches de l'église. À sa façon de se comporter, j'ai compris qu'il était désespéré et qu'il y avait de la rupture dans l'air. Il s'est mis à pleurer. Tu l'as pris dans tes bras quelques instants pour le consoler, mais ton regard cherchait déjà une autre victime et, quinze minutes plus tard, tu enlaçais un autre gars dans le fond du bar de la Gorgendière. Je t'ai trouvé plutôt rapide...

— Et moi, je trouve que tu sautes pas mal vite aux conclusions. C'est dommage, j'espérais que tu sois plus intéressant que ça !

— Au moins, je suis honnête, moi. Je te dis ce que je pense. Si t'étais capable de le faire, toi aussi, tu pourrais peut-être m'apprendre quelque chose.

25

— Je sais pas si ça vaut la peine que je t'en parle, mais oui, je me souviens de cette journée-là.

— Puisque tu te retrouves « par hasard » sur ma route, encore une fois, profites-en donc.

— OK. Message reçu. Ce soir-là, j'avais un rendez-vous avec Daniel, c'était mon *chum* à ce moment-là; c'est lui que je cherchais du regard à la place Royale et avec qui tu m'as vu au bar. Pour ce qui est de Léandre, il n'a jamais été en amour avec moi, mais il filait un mauvais coton, parce que son *chum* venait de le laisser, et j'essayais de le réconforter. Satisfait, monsieur l'inspecteur?

— Oui, finalement tu es peut-être un peu plus subtil qu'une caricature de Don Juan en puissance. Au fait, c'est quoi ton prénom?

— Félix.

— Comme le chat?

— Oui. Et après?

— Ça te va bien. Un chat, c'est indépendant et ça va d'une personne à une autre en prenant ce qui fait son affaire...

— Tu recommences encore... Pourtant, t'es mal placé pour parler. Je pense plutôt que c'est toi, le chat.

— Si tu me connaissais un peu plus, tu pousserais la comparaison jusqu'au tigre. J'ai la dent trop longue pour n'être qu'un chat.

— Donc, t'es encore pire que moi?

— Je prends moins de détours. On sait rapidement ce que je veux. Mais nos besoins sont peut-être les mêmes.

Croyant qu'il fallait le faire, histoire de nous fournir un nouveau point de départ, j'ai pris un air désintéressé et je lui ai demandé son prénom. Sa réaction ne se fit pas attendre.

— T'aimes ça faire l'innocent, et en plus, tu veux qu'on te fasse confiance! On peut pas être le jour et la nuit en même temps!

— Pourquoi tu me dis ça?

— Parce que tu connais déjà mon prénom! Après t'avoir vu à la place Royale, je t'ai revu sur la rue Saint-Stanislas. J'ai tout de suite dit à mes amis que si j'étais Michel-Ange, j'aimerais bien passer six mois de ma vie à sculpter dans le marbre blanc un gars comme toi. Mes amis du Conservatoire sont gays depuis déjà un bon bout de temps et ça les amusait de voir que je commençais à sortir du garde-robe. C'est donc un peu à cause de toi qu'on riait cette fois-là. Pour m'encourager et parce que ça l'amusait, mon copain Luc m'a dit que tu me regardais pendant qu'on passait devant toi et il a pris un malin plaisir à dire mon prénom assez fort pour que tu l'entendes au moment où je m'apprêtais à traverser la rue dans ta direction.

— Ça veut dire que tes amis m'avaient déjà vu et toi aussi, quand j'ai parlé de tes lunettes?

— Oui, et ils ont tous trouvé ça drôle, sauf moi! C'est humiliant, tu trouves pas?

— C'était pourtant un compliment...

— J'appelle ça rire du monde. Est-ce qu'il y a quelqu'un sur la Terre qui trouve ça beau des « barniques »?

— Puisque je t'ai remarqué, il faut croire que oui!

— C'est pas facile à croire.

— C'est pas facile à croire non plus, quand tu me parles de Michel-Ange. Moi aussi, je me demande encore si t'es pas en train de rire de moi. C'est peut-être vrai que tu me trouves de ton goût, mais j'ai quand même passé plus de la moitié de ma vie à faire rire de moi parce que j'étais cerné comme un raton laveur. Ça s'oublie pas facilement.

— Et moi, parce que j'ai une vue de taupe et des fonds de bouteille comme lunettes, qui me font des yeux comme des trous de suce... (Empruntant une voix de vieux bonhomme) On n'est donc pas chanceux! On fait donc pitié!

J'avais dépassé l'arrêt où je devais prendre mon autobus et nous nous apprêtions à descendre la côte de l'Hôtel-Dieu, quand Jean m'a suggéré de m'asseoir quelques instants le long du belvédère pour regarder les lumières de la basse-ville scintiller. La nuit était douce, et le ciel, dégagé. Fébriles et détendus à la fois, nous étions là, dans l'angle du réverbère, moitié ombre, moitié lumière. Ça ressemblait à un début de quelque chose.

Jean m'a parlé de l'importance de l'implication sociale, de la mémoire collective, de théâtre engagé, de militantisme et de tout ce qu'on devait faire pour que demain nous appartienne. Son attitude m'attendrissait. J'ai regardé ses mains et je me suis laissé bercer par ses paroles : il était meilleur que je ne l'avais d'abord cru. En fait, il ressemblait de plus en plus à ce que je souhaitais qu'un homme soit, c'est-à-dire bon pour les autres. Alors, je lui ai demandé :

— Es-tu toujours aussi... intense?

— La vie est trop courte et il me semble que je n'ai encore rien fait, alors je profite au maximum de ce que je peux sans me prendre au sérieux!

Toutes sortes de réflexions me passaient par la tête quand il m'a dit sans raison :

— Est-ce que tu connais l'histoire du lapin aux yeux rouges et du raton laveur?

Content de mon ignorance, il a commencé à raconter son histoire.

— Il était une fois un petit lapin tout blanc qui vivait une existence monotone parmi sa bande de lapins blancs. Aucune surprise ne venait troubler sa tranquillité. Grand fut donc son étonnement lorsqu'il rencontra, dans un champ voisin, un raton laveur au regard sombre qui mangeait des carottes. Pour mieux le connaître, pendant plus d'une semaine, il prit l'habitude de se rendre au même endroit et de le surveiller à distance. Comprenant qu'ils étaient semblables, malgré leur apparence différente, le lapin blanc inventa un stratagème pour apprivoiser le raton et s'en faire un ami. Le lendemain, dans le champ où il avait l'habitude de se promener, le raton laveur croisa sur sa route un lapin blanc, avec un domino noir placé devant les yeux. Se croyant ridiculisé, le raton se sauva à toute vitesse. Derrière lui, le lapin sautait dans ses traces en lui criant : « Ne pars pas! Je veux seulement être ton ami. » Les trois jours suivants, le lapin se retrouva seul dans le champ, les yeux de plus en plus rouges, à mesure que son espoir de revoir le raton laveur diminuait. Pendant ces trois jours, la voix suppliante du lapin n'a cessé de résonner dans la tête du raton : « Je veux seulement être ton ami. » Dans le but de vérifier s'il y avait une part de vérité dans les paroles du lapin, le raton décida de retourner au champ le quatrième jour. Le lapin y était toujours. Quelle ne fut pas sa joie lorsqu'il vit le raton laveur, de grandes oreilles blanches en tissu posées sur la tête, qui avançait timidement vers lui. Ils firent connaissance, se plurent, vécurent heureux et mangèrent des tonnes de carottes.

— C'est une belle histoire!

— Elle est belle surtout parce que c'est une histoire vécue...

***

Arrivé à la maison, j'ai pris une douche, plus chaude et plus longue qu'à mon habitude. Je savais que je le reverrais. Comment peut-on s'appeler Jean Durivage et ne pas inspirer le goût de s'étendre? L'envie de me laisser échouer sur sa grève me tenaillait. L'abordage ne s'était pas fait sans heurts, mais puisque la coque avait tenu le coup, pourquoi ne pas m'y enfoncer davantage? Le privilège d'un vivant, c'est d'avoir des joies et des peines, alors pourquoi me ménager? Une mer trop calme ne peut qu'endormir son capitaine, et ce n'est pas ce que je voulais pour mon horizon. J'avais dix-neuf ans et, de mémoire, je ne pouvais me souvenir d'avoir déjà ressenti un tel mélange d'émotion et de désir. Nu dans la salle de bain, je me suis regardé dans le miroir et c'est là, en voyant la chaîne en or que je portais au cou, que j'ai juré à la vie de la donner à Jean si je le revoyais dès le lendemain. Ma chaîne pour le revoir, ma bague de graduation pour l'embrasser et toute ma collection de livres pour qu'il tombe amoureux de moi. Voilà ce que j'étais prêt à offrir!

En y repensant, je devais conclure que ma soirée avec Jean s'était avérée dangereusement troublante. Pour sentir le vent du large, nous avions marché jusqu'au Vieux-Port. Le besoin de vivre à proximité de l'eau nous était commun. Il avait vécu la plus grande partie de sa vie en Gaspésie, sur l'autre rive du fleuve. Nous avions donc deux visions différentes du même cours d'eau : lui, les couchers de soleil ; et moi, les levers. Nous nous sommes attendris un peu, en caressant l'idée que nous avions grandi l'un en face de l'autre, complémentaires.

Avec ses histoires de chiens, de chats, de tigres, de lapins et de ratons laveurs, je m'étais amusé à le traiter de bestial et il m'avait chuchoté à l'oreille : « Les animaux sont moins bêtes que les humains. Il ne faut pas avoir peur de les imiter si on veut s'améliorer; mais surtout, ne le répète à personne, tu pourrais faire rire de toi. »

Au fil des heures que dura notre promenade, j'ai été touché par l'attention incessante qu'il me témoignait et pris un plaisir fou à l'entendre dire qu'il m'avait déjà remarqué, espionné, désiré un peu même. Je n'étais donc pas le seul à avoir ressenti ce trouble! La situation sentait la générosité et la douceur de vivre. Le long des quais, il s'est éloigné un peu de moi pour se rapprocher des bâtiments et il s'est arrêté près de vieux barils entassés. Je l'ai rejoint, intrigué. Mon étonnement devait paraître sur mon visage, car il a senti le besoin de se justifier :

— Il faut parfois être discret quand on veut vivre un moment intime entre hommes. Viens ici, j'aimerais te prendre un peu dans mes bras.

Nous nous sommes enlacés du mieux que nous pouvions le faire. J'aimais son odeur. Nos corps étaient compatibles et j'ai aimé que tout s'emboîte parfaitement. Nous ne nous étions pas encore embrassés et notre étreinte n'avait duré que quelques minutes, pourtant, devant la porte de son appartement, rue Saint-Paul, il connaissait suffisamment de choses « agréables » sur mon compte pour m'inviter chez lui.

— Il est tard et je ne tiens plus sur mes jambes. Est-ce que tu montes?

— J'aimerais ça, mais... Mon frère fait baptiser ses deux jumelles demain matin et je suis un des parrains.

— Elles vont s'appeler comment?

Les mensonges me venaient si spontanément que j'en étais surpris moi-même. Et, c'est sur le ton le plus naturel du monde que je lui ai dit :

— Marie-Annie et Marie-Julie.

— C'est pas très original comme choix. Ça doit donner des étourdissements et même des maux de cœur à l'usage.

— Qu'est-ce que tu veux, on n'a pas tellement de goût dans ma famille!

Puis, je suis parti. Avant d'atteindre le coin de la rue, je me suis retourné en espérant le revoir une dernière fois, et il était là, dans l'ouverture de la porte. Il m'envoyait la main. Cela n'était qu'un détail, mais à mes yeux, c'était déjà beaucoup, comme si…

Le temps passé sous la douche n'y a rien changé, le sommeil ne venait pas. Ma tête était pleine d'images de Jean et je me demandais combien de temps je pourrais résister à la tentation de succomber à ses nombreux charmes.

***

Ce n'est pas par goût de prendre une bière, ou de revoir mes amis, que je me suis encore retrouvé le soir suivant au Ballon Rouge.

— Tu sors pas mal, à ce que je vois!

— Toi aussi!!

— Je suis venu au *Ballon* simplement pour voir si tu y étais.

— C'est gentil.

— C'est pas gentil, c'est honnête. Je pense que la gentillesse nous éloigne souvent de la vérité. Alors j'essaie de l'éviter.

— Je comprends pas toujours ce que tu dis...

— Ça fait rien.

— Je pensais pourtant qu'on parlait pour que les autres nous comprennent.

— Ça fait rien pour le moment. On va dehors, s'asseoir sur les murets du cimetière?

La nuit était très chaude et déjà plusieurs couples s'étaient formés tout autour de l'église. Jean avait roulé les manches de son gilet jusque sur ses épaules, se donnant ainsi une allure sportive. Ce qui me procurait pourtant le plus d'émotion, c'était de constater qu'il avait souhaité me revoir autant que moi, de mon côté, je l'avais désiré. Avec une légère retenue, il m'a informé qu'il avait parlé de moi à sa sœur Cécile. Ils étaient très proches l'un de l'autre. Depuis son divorce, elle avait la garde de ses enfants à temps plein et Jean lui rendait régulièrement visite. Ce n'était pas une relation basée uniquement sur des échanges de services ou sur une quelconque habitude familiale. Une telle aisance entre frère et sœur m'apparaissait comme le choix que l'on ferait d'avoir un ami avec qui dès le départ, il y aurait une complicité étonnante. Peu importe de quoi Jean me parlait, il s'avérait être différent des autres gars que j'avais côtoyés jusqu'alors. Lui en ayant fait part, il s'était amusé à m'expliquer qu'il avait appris à désapprendre ce qu'on lui avait enseigné, puis à tout réapprendre par lui-même. Ça me semblait laborieux et amusant à la fois. Ce qu'il fallait en retenir, c'est que Jean y croyait, qu'il cherchait à appliquer sa théorie dans son quotidien et qu'en bout de ligne, le résultat serait rafraîchissant ou aride selon le cas, mais jamais ennuyeux pour moi.

— Qu'est-ce que t'as dit de moi à ta sœur?

— Je l'encourage beaucoup dans sa relation avec son nouvel amant. C'est avec moi qu'elle peut en parler le plus facilement. Elle était heureuse de me rendre la pareille. Elle est plus ouverte, plus expérimentée que moi au chapitre des aventures. Elle ne m'a jamais vu avec un gars; c'est la première fois que je rencontre le même plus d'un soir. Ça fait pas très longtemps que je m'assume et mes amis, ceux que t'as vus l'autre soir, s'amusent à me déniaiser. C'est pas encore naturel pour moi, mais sans eux, je serais probablement de l'autre bord en attendant qu'il se passe quelque chose dans ma vie.

— De l'autre bord?

— Celui des filles...

— C'est qui au juste, pour toi, la belle fille que tu as embrassée sur la rue Saint-Stanislas?

— La belle fille qui m'a embrassé pendant que tu me regardais de la tête aux pieds, c'est Martyne. Si je n'étais pas homosexuel, c'est avec elle que j'aimerais être. Elle me voulait, j'ai essayé, j'ai vérifié et ça n'a pas marché. Ça n'a sûrement pas été drôle pour elle et j'ai peur de lui avoir fait perdre son temps. Aujourd'hui, je prends mes distances avec elle. On ne se reverra peut-être jamais. C'est dommage : avec son courage et toutes ses idées, elle me brassait la cage comme personne d'autre.

— Puisqu'on reparle de cette journée-là, tu pourrais peut-être m'expliquer ce que ça voulait dire quand ton grand copain Luc t'a crié de lui acheter de l'herbe?

— C'était pour le chat de mon frère René, que je gardais pendant qu'il était en Europe. Il arrêtait pas de mâchouiller mes plantes : j'avais envie de le lancer par la fenêtre, alors Luc m'a suggéré de lui acheter de l'herbe à chats.

Les coins de ses lèvres annonçaient un sourire narquois.

— T'es tellement bien élevé mon p'tit Félix, que t'as probablement pensé que je prenais de la drogue...

— Ben...

— C'est ça que j'ai dit de toi à ma sœur : t'es un mélange de naïveté, d'audace, d'imagination et d'entêtement.

— Comment tu fais pour affirmer tout ça?

— J'ai la prétention de croire que, contrairement aux gars que tu as connus avant moi, je ne fais pas seulement que te regarder, moi! Ce qui m'attire, c'est ce que les gens cherchent à cacher derrière le vernis, leurs bonnes manières; et toi, tu t'enfarges trop facilement dans tes principes pour que je résiste à la tentation d'aller voir ce que ça cache.

Je ne savais plus quoi ajouter et j'ai alors simplement placé mes deux mains autour de son cou pour vérifier si ma chaîne allait être de la bonne grandeur pour lui. Satisfait, je l'ai sortie d'une de mes poches et je l'ai attachée autour de son cou. Ses yeux se firent interrogateurs.

— Aie pas peur, ça veut rien dire. C'est juste parce que je suis content de te voir.

— Ça tombe bien, moi aussi...

— Alors, on est au moins deux à être contents de te voir!

— Je comprends pas, Félix.

— Ça fait rien. (Je commençais à m'amuser) Viens! J'ai le goût de retourner au bar prendre un verre.

— D'accord, mais c'est moi qui te l'offre.

— Comme t'as probablement plus d'argent que moi, commande-nous deux vodkas jus d'orange.

– 2 –

Le soleil nous suivait

Il m'avait offert à nouveau de dormir chez lui et, une fois de plus, j'avais décliné son invitation, prétextant une autre responsabilité. Ce n'est qu'avant de le quitter que j'avais glissé l'étui de ma chaîne en or dans la poche intérieure de sa veste.

Le lendemain, à l'heure du souper, je me suis présenté à son appartement en affirmant que j'avais des courses à faire dans le quartier. Il était si impatient de m'accueillir qu'il n'a pas envisagé, même un seul instant, qu'il puisse en être autrement. Il avait trouvé, le matin avant de partir pour son travail, l'étui de ma chaîne, et la préméditation de mon geste l'avait touché. Il m'a offert de partager le souper qu'il préparait. Sa présence s'avéra plus alléchante que son repas et j'ai passé le reste de la nuit chez lui. Nous nous sommes raconté toutes les farces plates que nous connaissions. Ses talents de conteur étaient bien au-dessus des miens. Il aimait amplifier les situations, exagérer les faits et surveiller mes réactions. Sa peau blanche et sa barbe forte m'ont fait perdre quelques bouts de la conversation, mais...

Jean m'appelait « tête dure » pour me provoquer et ça me charmait. Il ne restait plus qu'une heure avant que son réveil ne sonne, et déjà les rayons de soleil passaient entre les lames des stores vénitiens, s'étalaient sur le lit, nous transformaient le visage, puis se dispersaient telles des taches d'or sur le plancher verni quand, à bout de force, nous nous sommes finalement abandonnés dans les bras l'un de l'autre. Ma fatigue avait emporté mes inhibitions et aurait pu, en cas de catastrophe, justifier mes maladresses. Je souhaitais cet instant depuis le début. Pourtant, j'avais repoussé le plus longtemps possible ce premier moment où nous nous retrouverions dans son lit. L'idée de n'être qu'une aventure de plus dans sa vie avait freiné mes élans et nous procura le temps, par le fait même, de nous désirer encore plus.

***

Comme du yogourt vanille et du sirop d'érable qui coulent sur des crêpes chaudes, le reste de notre été s'est écoulé au gré de notre imagination. De toute ma vie, je n'avais assisté à autant de levers de soleil et, c'est épuisé mais heureux, que je faisais une sieste en soirée avant de retourner chez lui. C'était le début de nos rendez-vous secrets. Je ressentais pour la première fois l'expérience de vivre l'instant présent sans penser à autre chose. Je n'aurais jamais cru cela possible et j'en étais grisé, assoiffé, affamé. Mes journées tournaient autour de nos nuits, de nos soirées, de nos déjeuners, de nos promenades sur les quais, de nos tête-à-tête sans fin. Les chansons de Brel, de Piaf et de Ferré nous berçaient et nous encourageaient dans cette quête d'un amour si intense qu'il ne pouvait qu'être éphémère tant il était bon. Nous étions conscients que toutes ces belles chansons n'avaient pas été écrites pour deux hommes, mais l'essentiel était le même, alors nous transposions.

Nous avons donc volé à la vie tout ce que nous pouvions nous approprier avant que l'habitude de l'amour ne s'installe entre nous. Parce qu'on croyait aux paroles de Léo Ferré lorsqu'il chantait : « Avec le temps, tout s'en va... », le sentiment d'urgence en nous s'était fait feu et vent à la fois, répandant autour de nous un lit de braise au sein duquel nous étions bien, à l'abri du reste du monde. Que personne ne me demande quelle température il a fait cet été-là; ma réponse pourrait en surprendre plusieurs!

Avec son tempérament fougueux, Jean ne mâchait pas ses mots pour me dire que ma mère était la reine des manipulatrices et que ce n'était que par orgueil qu'elle cherchait à ressembler à une sainte. Par contre, il trouvait que mon père était troublant dans ses élans retenus, presque trop sensible et que mes sœurs étaient exceptionnellement douces, chacune réfugiée dans son jardin secret. Bref, il aimait me rappeler qu'il y avait un peu trop de politesse et de propreté dans ma famille. Parfois, je perdais le sens de ses paroles, mais j'y songeais par la suite, puis revenais vers lui pour lui demander d'approfondir son point de vue. Avec lui, les mots, les explications fusaient de toutes parts; maladroitement, vigoureusement, mais plus souvent qu'autrement soutenus par le désir de me sortir de mon vernis trop poli pour que je sois véritablement accessible.

— Tu sais, chez vous, vous êtes tellement bien élevés que c'est pas facile de savoir ce que vous voulez réellement.

— Veux-tu me faire comprendre qu'on n'est pas vraiment honnêtes?

— Vos leçons sont tellement bien apprises qu'il devient par moments difficile de saisir si, toi le premier, tu fais des choses parce que tu le veux, ou simplement parce qu'il faut les faire. T'as pas l'air de comprendre que l'enfer est pavé de bonnes intentions. Je ne veux pas t'aimer pour ce que tu fais, mais pour ce que tu es. S'il te plaît, ne sois plus jamais gentil avec moi. Sois triste ou drôle, mais sois vrai.

— C'est vrai que j'ai encore tendance à présenter la vie sous son plus beau côté. C'est pas un défaut en soi. Je veux simplement qu'elle soit agréable.

— Jusqu'où peux-tu t'entêter à vouloir embellir la réalité?

— Jusqu'à ce qu'elle ressemble à ce que j'attends d'elle.

— J'espère seulement que ton entêtement ne te poussera pas à mettre à l'écart de ta vie ce qui pourrait t'apprendre à vivre.

Jean m'apportait plus que l'amour fou : il me donnait le respect de moi, de la vie qu'il faut goûter, brasser et rebrasser de nouveau. Il était fier de lui quand je faisais des folies pour moi, pour lui, pour le plaisir de vivre. Mes projets de voyages, d'études, le fascinaient. Nous nous savions libres et c'est ce qui nous rendait fiers de nous retrouver, de nous désirer, de choisir de nous donner l'un à l'autre.

Notre bonheur, nous l'avons construit nous-mêmes, au jour le jour. On nous avait formellement enseigné comment se comporter avec une fille, mais l'ABC avec un gars, on ne pouvait que l'apprendre en le vivant. Pour nous simplifier l'existence, nous nous étions donné certaines règles de conduite. Leur application se heurtait à tant de choses apprises qu'il fallait au moins être deux pour y croire.

La première règle à suivre était de ne jamais laisser son père, ma mère ou le bon Dieu entrer dans notre chambre à coucher.

La seconde consistait à ne jamais tomber dans les techniques toutes faites en nous enlevant l'obligation d'être beaux et performants. La peur de ne pas être à la hauteur ou même d'être laids, s'est envolée d'elle-même. C'était rassurant.

La troisième règle nous imposait de ne pas faire de notre passé notre futur. Nos expériences passées, nous pouvions en parler, mais nous ne pouvions nous en servir indéfiniment comme d'une excuse. Il fallait aussi reconnaître qu'en nous, des p'tits gars coincés dans leurs principes judéo-chrétiens attendaient patiemment l'occasion de trembler un peu, mais il ne fallait pas pour autant les encourager.

La quatrième règle se nommait « Occupe-toi de tes besoins, ça va me donner une chance de ressentir les miens et ceux qui sont vraiment les tiens. » Plus complexe et pernicieuse, elle s'était rajoutée quand nous avions craint que vienne à nous le modèle du « bon gars », celui qui se force pour être gentil au travail, qui se force partout et qui finit fatalement par tuer le désir. Il n'était donc pas question d'être poli, généreux, surprenant et spirituel sur commande, et encore moins de s'excuser constamment!

Notre dernière règle était la plus agréable à suivre. Il s'agissait simplement d'agir autant que de penser.

Munis de nos nouveaux règlements, nous nous sommes laissé dériver pour finalement comprendre que le bonheur était un concept abstrait qui possédait la faculté de se transformer totalement d'une personne à une autre. Alors, nous avons rigolé de nous-mêmes en nous qualifiant mutuellement de marginaux.

***

À l'occasion pourtant, après certaines discussions avec Jean, où il avait été question de mes « façons » de faire, mon passé tourbillonnait dans ma tête. Bien malgré moi, tous mes souvenirs d'enfance m'apparaissaient baignés de soleil.

Il était là entre les arbres, le matin dans la chambre de mes parents. Le soleil était là lorsque ma mère revenait de la messe et que je l'attendais avec mon père dans leur grand lit. Dans la cuisine, les gâteaux étaient dorés, les rideaux presque transparents de lumière et le miel coulait sur les rôties.

Il était là aussi dans mes souvenirs les plus lointains, lorsque j'écoutais mes trois sœurs parler entre elles et me dévoiler, sans le savoir, les « mystères » de la vie. Tout était déjà là : peurs, exigences, désirs secrets, tous les ingrédients mijotaient dans le même bouillon de rêves.

À mes yeux d'enfant, Alice, Gabrielle et Marie semblaient déjà comprendre le monde. C'est dans la vieille balançoire, au fond de la cour, que débutaient, le plus souvent, leurs confidences. Sous les ormes, près des lilas, avant la nuit, après le jour qui nous avait tous occupés les uns loin des autres : c'est là que nous nous retrouvions, pour être enfin ensemble. Elles s'installaient confortablement et savouraient ce seul vrai moment de détente de la journée. Gabrielle délaçait ses souliers, Alice terminait son thé, et Marie me cédait un coin de son coussin pour que je sois, moi aussi, assis plus confortablement. Un passant nous aurait trouvés bien disciplinés dans nos beaux vêtements propres. Nos parents nous avaient conçus à cinq ans d'intervalle, et ce temps avait favorisé la protection entre nous, plus que la compétition. L'expérience s'était transmise discrètement, presque à notre insu.

Alice, l'aînée de la famille, était déjà une belle femme à cette époque et elle savait peindre des toiles d'un exotisme surprenant qui nous révélaient que ses pensées voguaient parfois en des eaux beaucoup plus troubles et profondes que celles du Saint-Laurent au bout de notre terrain.

Gabrielle, la plus curieuse des trois, aimait la vie dans ce qu'elle a de plus simple. Les problèmes ne semblaient pas avoir de prise sur elle. Lorsqu'un nuage venait assombrir le ciel, elle courait sur la grève et sautait dans toutes les flaques d'eau qu'elle pouvait rencontrer.

De son côté, Marie la douce écoutait, consolait, comprenait ceux qui se livraient à elle. Adolescente jusqu'au bout des ongles, elle ne pouvait repérer où, en elle, se cachait la femme qu'elle devait devenir.

Près d'elles, j'avais été heureux, dorloté. J'étais l'enfant qu'elles avaient eu sans connaître la vie. En toute complicité, j'ai été le témoin discret de leurs bavardages de filles. Gabrielle nous parlait toujours d'amour passion sans concession et Marie, de son malaise d'attirer physiquement l'attention des garçons. Quant à Alice, elle nous disait qu'une femme ne devait pas être simplement bonne ou agréable pour chauffer le lit de son mari, comme le disait maman.

De toutes ces discussions, j'avais conservé bien des choses, mais deux réflexions s'imposaient encore à moi : les paroles de ma mère ne reflétaient pas toute la réalité, et j'aimais autant les histoires d'amour de mes sœurs qu'elles les aimaient elles-mêmes.

Après tout ce que je venais de vivre avec Jean ces derniers mois, j'aurais aimé leur dire que le plus important n'était sûrement pas d'être belle ou bonne.

– 3 –
Joyeux Noël, tête dure!

En ce premier 24 décembre que nous partagions ensemble, Jean et moi, toutes les allées du *Steinberg* étaient encombrées de clients aux traits tendus. À cause des bottes et des manteaux d'hiver, une étrange odeur de vestiaire se mélangeait à celle des aliments. Le personnel du supermarché ne savait comment satisfaire aux demandes incessantes des consommateurs contrariés; Jean faisait partie du nombre. Sans que je comprenne pourquoi, il s'était réveillé de mauvaise humeur. Mes tentatives pour le dérider un peu ne servaient à rien, il conservait son air bougon, que je ne lui connaissais pas. En boutade, j'ai placé de la nourriture pour bébé, un collier anti-puces pour chien et une boîte de serviettes sanitaires dans notre panier à provisions. Sans tenir compte de mon amusement, il les a replacés sur les étagères et a continué ses recherches, les yeux perdus entre la liste d'épicerie et la clientèle toujours aussi dense. C'est en voyant les chambres froides de bières et de jus que m'est venue l'idée d'y entrer pour surprendre Jean au moment où il prendrait sa caisse de « 50 ». Il m'avait vu faire et, plutôt que de saisir l'occasion de tomber dans l'un de mes pièges, il avait préféré se poster devant la porte du congélateur et m'y attendre. Le propre d'un congélateur, c'est d'être froid. En dépit de ma tuque et de mes bottes doublées de mouton, je trouvais qu'il prenait bien du temps pour arriver à l'étalage des grosses bières. Les mains rouges de froid, je m'apprêtais à sortir de ma cachette lorsque je l'ai vu de l'autre côté de la porte vitrée. Derrière ses lunettes mal nettoyées, ses yeux bruns étaient posés sur moi et son pied gauche, sur le bas de la porte.

— Si tu veux sortir, tu dois me dire ce que je veux entendre!

Malgré ce que je lui ai dit, il est resté impassible et ce sont mes pitreries qui ont fait naître son premier sourire de la journée et disparaître son pied du bas de la porte du congélateur. Quand je me suis mis à énumérer les avantages d'être « gelé » pour faire l'épicerie, l'atmosphère entre nous s'est réchauffée. Disons que la glace de son mutisme s'était cassée et qu'on pouvait enfin espérer un premier Noël ensemble sous le signe de la gaieté. À voir l'étonnement avec lequel les passants sur la rue Saint-Jean nous regardaient faire nos niaiseries les deux pieds dans la neige fondante, c'était facile de comprendre que, selon eux, il n'y avait rien de normal à s'amuser ainsi un 24 décembre en après-midi. Plus ils se montraient surpris et plus nous avions envie de rigoler. J'ai tout de même été étonné lorsqu'au coin de la rue Turnbull, Jean a déposé son sac de provisions dans les marches d'une entrée de maison et enfoncé son index dans mon sac d'épicerie en papier, rempli jusqu'au bord. En une fraction de seconde, son visage préoccupé du matin lui était revenu. Rien ne laissait entrevoir une blague et, d'une voix inquiète, il m'a demandé pour la seconde fois dans la journée :

— Dis-moi ce que je veux entendre... Sinon, je déchire ton sac!

Le ton presque suppliant de sa demande m'a surpris, le regard des passants me gênait et rien n'est sorti de ma bouche.

— Félix... Ce soir, on va fêter Noël dans ta famille. Demain, tu vas m'aider à recevoir la mienne chez moi. Comprends-tu ce que ça veut dire? Comprends-tu ce que je ressens, ce que je suis obligé de m'avouer à moi-même parce que je l'ai imposé à tout le monde?

— Pas vraiment!

— Félix, je suis homosexuel...

— Tu le savais déjà!

— Je le savais, mais là je le vis. Avant, c'était seulement des mots, des idées, des étiquettes, je ne pensais pas vraiment que c'était moi, que ce serait si fort, que ça prendrait des proportions pareilles. Nos deux familles sont bien aimables, mais c'est pas facile de se présenter ensemble devant elles pour Noël, même si tout le monde nous aime bien, et que les invitations sont faites pour nous deux. Le problème, c'est pas la famille. C'est moi, ma peur de moi, l'angoisse qui me secoue la nuit quand tu dors chez tes parents. Je suis glacé à l'idée de me réveiller d'une « baloune ». On est bons pour faire des farces, mais il y a beaucoup de mots tendres qu'on s'est jamais dits. Tu sais, les beaux mots qu'on entend trop souvent autour de nous, dans les livres, au cinéma, et auxquels plus personne ne croit. Moi, je les ressens encore. Ils sont en moi... Pour toi. Qu'est-ce que t'attends pour jeter ton sac d'épicerie à terre, et me prendre dans tes bras?

— Tu veux que je te prenne dans mes bras à trois heures de l'après-midi, en pleine rue? T'as pas peur qu'on se fasse remarquer?

— Non, parce que c'est ma première déclaration d'amour...

C'était trop beau pour ne pas succomber. J'ai laissé tomber mon sac d'épicerie dans la neige et je l'ai embrassé en le serrant, au point de nous couper le souffle. Après avoir fait ça en pleine rue, un réveillon en famille, c'était de la « p'tite bière ». On entrait dans une étape qu'on n'avait jamais approfondie avec des mots : être homosexuel, ce n'est pas seulement coucher avec une personne de son sexe, c'est aussi l'aimer dans tout ce qu'elle est et n'en avoir jamais assez! Ce que Jean cherchait à expliquer, je le ressentais aussi, sans pour autant partager les mêmes craintes. Quelque part en moi, j'avais confiance en nous. Ce n'était pas simplement une aventure, ça allait durer!

— Mon lapin, mon tendre, mon Jean à moi, tu me rends tellement heureux. Si mes gestes maladroits n'ont pas crié plus fort que mes mots voilés, l'amour que j'ai pour toi, alors je vais apprendre à mieux te chanter la pomme. Tu vas en entendre des vertes et des pas mûres. Tant pis pour toi et tant mieux pour moi.

— On va finir par être vraiment quétaines. Comme ça, demain, avant de recevoir ma famille, on pourrait prendre une vodka jus d'orange, comme le 25 juin...

— Et se souhaiter un autre six mois.

— Tu sais, tête dure, ce serait bien de faire six fois six mois.

— Six ans, si tu veux!

— Tu penses que c'est possible? On le sait trop que ça fonctionne jamais, les histoires d'amour!

— Qu'est-ce que t'en sais, tête dure toi-même! Bon, arrête de radoter, on ramasse nos affaires, et on s'en va, j'ai froid sans bon sens.

— Attends une minute. C'est toi qui as décidé ce qu'on ferait pour Noël et je sais que tu t'attends à ce que je te donne un cadeau qui sera en proportion de mes sentiments pour toi. L'idée de la famille, ça va, malgré ce que je t'ai dit. Par contre, les cadeaux, ça m'agace! C'est une trappe pour consommateurs qui ne savent plus démontrer leur tendresse. C'est d'une autre façon que j'aimerais que tu saches ce que tu représentes pour moi...

Jean avait raison et c'est bien malgré moi, par pur conditionnement, que j'attendais avec empressement le moment d'ouvrir le cadeau qui serait pour moi une preuve d'amour. Embarrassé qu'il ait perçu mes attentes, mes besoins d'enfant nord-américain privilégié, je m'étais penché pour remettre dans mon sac, à moitié défait, les aliments tombés dans la neige molle, déjà grise. Autour de nous, les passants étaient étonnés et ça me dérangeait. J'étais démasqué et pourtant je n'avais même pas réalisé que jusque-là, j'avais pris soin de bien camoufler mes intentions. En dépit du froid, j'avais retiré mes mitaines pour saisir plus rapidement la nourriture avant qu'elle ne devienne un amas de produits surgelés. Jean demeurait debout devant moi, sans m'aider.

— Tu dis rien? C'est mieux que tu le saches tout de suite. Ce soir au réveillon, j'aurai pas de beaux cadeaux bien enveloppés pour toi. Tes beaux-frères ont probablement l'habitude d'offrir à tes sœurs ce qu'elles espèrent en secret, moi j'en suis incapable! Mais si tu le veux, pendant la soirée, j'irai me placer derrière toi et je te chuchoterai un nouvel épisode du lapin et du raton laveur. Tu pourras déballer mes

49

paroles avec ton cœur et comprendre que les mots dits, avec amour à voix basse, sont plus précieux que les cadeaux bien emballés.

Ce qu'il me promettait répondait amplement à l'essence de mes rêves. Il ne me restait plus qu'à assimiler ma petite déception de capitaliste pendant le reste du temps des Fêtes. Bien que sa déclaration m'ait plu, je devais afficher une triste mine parce que, avec réserve, il m'a demandé :

— T'es vraiment déçu?

— Je vais m'y faire. Merci de me l'avoir dit avant le réveillon, ça va m'éviter de me mettre les pieds dans les plats devant ma famille. Tu fais ce que tu veux et moi aussi, alors tu déballeras tes cadeaux demain, quand on va prendre notre vodka jus d'orange. Tu peux tout de même pas m'obliger à les garder pour moi! On n'a pas besoin de cadeaux pour se sécuriser mais, pour moi, c'est juste une occasion de te gâter, de penser à toi, de faire quelque chose pour toi, simplement parce que tu m'en donnes le goût. J'espère que tu comprends? Ramasse ton sac, on rentre avant que je me transforme en viande congelée.

Droit devant moi, il me regardait avec un brin de malice dans le coin de ses yeux. Il avait écarté un peu ses jambes et fourré ses mains dans les grandes poches de son large manteau beige. Un court instant, j'ai songé qu'il s'installait ainsi devant les vitrines de chez *Eaton* pour évaluer le travail des étalagistes. À ses pieds, je cherchais tant bien que mal à tout remettre en place et il semblait s'en réjouir, tel un bon spectateur.

— Jean Durivage, t'as pas l'air de t'en rendre compte, mais c'est une partie du souper pour ta famille qui va rester sur le trottoir si tu m'aides pas en en prenant dans ton sac.

— T'as raison... Surtout qu'il en reste encore à venir!

J'ai levé les yeux vers lui au moment où, de l'une de ses poches, il a sorti une petite boîte cartonnée qu'il a laissée tomber dans la neige, entre les raisins mouillés et la boîte de biscuits renfoncée.

— C'est pas un cadeau de Noël, c'est arrivé comme ça, par hasard.

À l'intérieur de la boîte, j'ai trouvé une chaîne en or, identique à celle que je lui avais donnée six mois plus tôt. Sur un bout de papier, il avait écrit : « J'ai pour toi un penchant injuste et prononcé. » Doucement, il s'était accroupi et observait mes réactions.

— C'est pour mieux t'enchaîner à moi, mon enfant.

Il avait pris sa voix de gros méchant loup et, moi, j'ai pris ma voix du dimanche pour lui tendre le plus beau piège que je pouvais inventer.

— Est-ce que je peux t'offrir quelque chose que tu as déjà?

— Si tu crois en avoir les moyens!

— C'est mon cœur, espèce d'insécure!

Cette fois, l'étreinte s'est faite encore plus longue, et, je pourrais le jurer, la neige n'a pas été la seule cause de ralentissement de la circulation sur la rue Saint-Jean ce 24 décembre-là.

– 4 –
Un coin de paradis
– 1980-1981 –

Avec les années, la maison de M. Forcier était devenue un lieu de rencontres où les brunchs et les soirées s'étiraient au fil des heures et de nos fantaisies. Elle était située en plein cœur du faubourg Saint-Jean-Baptiste. Jadis, ce quartier populaire était, à ce que l'on disait, mal famé. Les prostituées se promenaient rue La Tourelle et les matelots qui avaient jeté l'ancre dans le port s'y rendaient pour flamber leur paie en échange de leur compagnie. Il était alors mal vu d'habiter dans ces rues étroites, sans arbres, où les fenêtres mansardées des maisons demeuraient closes trop longtemps.

La rue Saint-Jean séparait le secteur en deux. Le « haut », chic, avec ses maisons victoriennes et ses quelques arbres, s'étalait vers le sud jusqu'au parlement. Le « bas », plus pauvre, s'entassait vers le nord jusqu'aux limites de la falaise. C'est là qu'avec les années soixante-dix s'est développée une joyeuse communauté artistique, un petit réseau d'entraide, des coopératives d'habitation, et surtout le goût de s'exprimer, de faire des choses pour nous, en tant que Québécois. Avec la montée du nationalisme, l'engagement social était devenu de mise et on se devait d'être fiers de nos racines latines. Lorsque Jean m'a proposé de louer un appartement sur la rue Saint-Olivier, c'est d'abord en pensant au dynamisme de ses habitants que j'ai été emballé. L'idée d'habiter un quartier où les minoritaires étaient majoritaires nous charmait. Progressivement, depuis une quinzaine d'années, les maisons s'étaient recouvertes de teintes pastel qui annonçaient l'ouverture d'esprit de ses nouveaux occupants. Il n'était pas rare que plusieurs hommes et femmes habitent en commune dans la même maison, sans être des couples ou d'une même famille. De jeunes mères monoparentales s'échangeaient la garde de leurs enfants et certains couples homosexuels se promenaient main dans la main. Toutes ces nouvelles façons de vivre embrassaient mes valeurs et c'est donc la tête bien haute que j'avais l'intention de m'intégrer dans cette aire de tolérance où les gens avaient la possibilité d'être eux-mêmes.

— De plus, on sera près de tout... Il y a des galeries d'art, des épiceries fines, les plaines d'Abraham pas trop loin... En plein sur le parcours d'autobus pour l'Université... Entre les cafés *Le Hobbit* et *L'Une.* C'est le genre de quartier où nous pourrons être heureux... Puis ce n'est pas loin des bars!

Le quartier semblait s'être préparé pour nous recevoir. Il ne nous restait plus qu'à récolter les fruits d'une ouverture d'esprit qu'avaient semés avant nous nos prédécesseurs. Puis, par l'intermédiaire de Jean, j'ai rencontré, dès les premiers temps, une foule d'artistes fous et tendres qui se battaient pour le Québec de demain. Le *théâtre de la Bordée* venait juste d'ouvrir ses portes, Marie Laberge préparait sa prochaine pièce, Pierre Morency s'acharnait pour que la poésie francophone survive et Robert Lepage inventait de nouvelles façons de créer, de présenter l'art. À l'instar des cultures américaine et française, la nôtre occupait une place plus importante parmi nous. Je n'étais pas un intime du monde artistique québécois, mais lorsque je les croisais dans la rue ou au restaurant, je voyais notre « devenir » qui se présentait à moi. Respectueux et conscient du privilège que j'avais de les côtoyer, je me faisais discret en leur présence et, tel un espion, je tendais l'oreille pour saisir des bribes de leurs conversations. J'étais touché aux tripes. Nous avions enfin une relève culturelle qui collait à nos préoccupations d'identité collective. J'en étais très fier.

C'est Suzanne, une amie, qui la première, nous a parlé de la possibilité de louer un logement avec cour dans le faubourg Saint-Jean-Baptiste.

Lorsque nous sommes allés visiter l'appartement de la rue Saint-Olivier, le soleil était radieux. Par la fenêtre ouverte d'une maison, on entendait jouer du piano. Pour moi-même, je fredonnais la chanson de Diane Dufresne *MAMAN, SI TU ME VOYAIS, TU SERAIS FIÈRE DE TA FILLE.* Suzanne nous attendait devant la maison pour nous présenter au propriétaire.

Monsieur Forcier correspondait parfaitement à ce que Suzanne nous avait dit de lui. Elle avait seulement omis de nous dire qu'il avait pour elle une tendresse évidente.

C'était un homme qui parlait beaucoup mais qui aimait en silence. J'ai tout de suite ressenti de l'affection pour M. Forcier. La confiance étant mutuelle, Jean et moi avions convenu de prendre possession du logement trois semaines plus tard. Pour éviter qu'il y ait deux maîtres à bord, nous avons réparti les tâches dès le commencement. Cuisine, ménage... On touchait à tout, selon notre semaine. Il y avait plusieurs codes de communication entre nous. Entre autres, j'avais acheté des taies d'oreiller sur lesquelles étaient imprimés un gros loup d'un côté et les trois petits cochons de l'autre. Jean a vite compris que je souhaitais avoir la paix quand il voyait le grand méchant loup en évidence sur le lit. Son comportement était plus affectueux les soirs des trois petits cochons.

Nous ne nous connaissions que depuis deux ans, pourtant nous nous sentions prêts à partager le quotidien. Ma famille ne disait rien, ses amis étaient contre, mais son frère René et sa sœur Cécile étaient enthousiasmés par notre projet. Je crois qu'ils étaient heureux pour Jean qu'il ait enfin l'audace de réaliser ses rêves, qu'il s'assume.

Quand la première neige est arrivée, les travaux de peinture étaient déjà terminés, les rideaux accrochés aux fenêtres, et la lampe *Tiffany's* suspendue au-dessus de la table de la salle à manger. Instinctivement, j'avais installé mes quartiers dans les pièces les plus ensoleillées, afin que mes plantes demeurent en bonne santé. J'avais conservé de mon enfance ce besoin d'être entouré par les rayons de soleil. Pour moi, c'était de l'art vivant.

Personne dans mon entourage n'a été surpris de constater que j'avais peint le salon et la salle à manger aux couleurs des moissons et le bureau dans une teinte orange brûlé. Les livres et les plantes étaient rangés sur de vieux meubles décapés, puis revernis, créant l'atmosphère détendue que je souhaitais. De mes cours de photo au collège, il me restait de beaux agrandissements en noir et blanc, que je m'étais empressé de disposer sur les murs. Sur l'un d'eux, on pouvait voir mes trois sœurs s'enlaçant sur la grève de l'île d'Orléans. Les cheveux défaits par le vent, les pommettes rougies par le vin, elles avaient le même sourire. C'est comme ça que je raffolais d'elles. Puis, il y avait des photos de Jean à sa table à dessin, devant un navire au Vieux-Port et même une où il était endormi sur le canapé de son salon rue Saint-Paul.

C'est dans ce décor que se sont succédés nos premiers mois de cohabitation. Le bonheur prenait vie autour de nous. Nos amis passaient sans s'annoncer. Pour eux, c'était l'occasion d'avoir un pied-à-terre au centre-ville et, pour nous, ce va-et-vient nous rappelait une certaine vie de famille. M. Forcier incarnait notre oncle à tous et Suzanne notre grande sœur.

Suzanne me surprenait de plus en plus. Elle était la première fille que je connaissais qui disait ouvertement qu'elle ne voulait pas d'enfant : elle avait suffisamment donné aux autres et, maintenant, elle devait penser à elle. Nous avons compris, avec les années, que ses parents s'étaient un peu trop fiés sur elle, en lui laissant l'éducation de ses quatre frères. Avec ses amants de passage, elle avait la certitude de ne cueillir que le meilleur d'eux. Le reste (les mensonges, le quotidien, l'amour sans passion), elle le laissait à leur épouse. Elle était intelligente et pleine de verve, et ses aventures nous laissaient tous bouche bée. Entre deux voyages, entre deux hommes, elle passait sa vie en pleine galère.

Jean et moi occupions le premier étage, Suzanne et M. Forcier le troisième, le centre de l'immeuble se divisait également entre les appartements B et C. Hervé Deschamps, un informaticien qui travaillait pour le compte de Radio-Canada, habitait l'appartement C. Au début, lorsque Suzanne m'en parlait, j'avais toujours eu l'impression qu'elle improvisait, que son « caillou » n'était que le fruit de son imagination, mais, lorsqu'il m'a été présenté, j'ai compris que l'exagération n'était pas nécessaire et que Hervé surpassait lui-même tout ce qu'on pouvait inventer sur lui. Le vocabulaire de Hervé semblait programmé du début à la fin, en une suite interminable de blagues de mauvais goût. Malgré tout, pendant ces années où il a été notre « voisin d'en haut », nous avons quand même fini par mieux le connaître et l'apprécier.

Juste au-dessus de notre chambre et de notre cuisine, une journaliste vivait dans l'appartement B. Son amoureux vivait à Montréal. Son cœur, sa tête, et les quatre septièmes de son corps étaient là-bas avec lui. Elle ne couchait que trois nuits par semaine à la maison. Nous ne l'avons croisée que très peu de fois.

Pour souligner la fête des saints Innocents, nous avions décidé d'inviter toute la maisonnée pour un souper du temps des Fêtes. C'est à cette occasion que nous avons, Jean et moi, informé M. Forcier et les autres locataires de notre souhait de transformer la cour en jardin. M. Forcier avait entendu parler d'une subvention de la ville qui était accordée aux propriétaires qui voulaient se débarrasser de leur vieux hangar. Suzanne proposait d'y planter des fines herbes. Hervé de repeindre les murs extérieurs.

Jean et moi, d'y planter des arbres. Bref, à la fin de la soirée, il n'était question que de « notre projet à tous ». Et unanimement on était d'accord pour dire qu'ici : « On se sent comme chez soi. »

J'avais atteint mon but. En fin de soirée, avant de retourner à son appartement, M. Forcier nous lança : « J'ai hâte au printemps. Si tout marche comme on le veut, j'ai une belle surprise pour vous autres. »

Sur l'oreiller, je me demandais bien ce que pouvait être sa « belle » surprise. Jean s'est collé dans mon dos et m'a dit tout bas : « T'es bien le fils de ta mère. Personne ne s'en est aperçu, mais tu as encore réussi à faire passer ton idée. C'était pas mal plus ton projet que le mien. Bonne nuit, tête dure! »

***

Pas une seule fois, lors de nos rencontres de l'hiver 1981, notre décision d'avoir un jardin n'est passée sous silence. J'avais dessiné un plan d'aménagement. Hervé désirait peinturer l'intérieur des murs mitoyens des autres cours, d'un bleu gris rappelant certaines maisons de la Nouvelle-Angleterre. Jean avait trouvé un endroit où se procurer de la tourbe à bon prix et Suzanne avait acheté de belles boîtes à fleurs.

La vie de M. Forcier aussi se transformait. À notre contact, il oubliait un peu sa triste retraite, son appartement sombre et ses longues soirées en solitaire. Le 3 mai, les travaux ont commencé avec l'arrivée des démolisseurs et le 27, l'asphalte était enlevé, les murs étaient peints et le gazon couvrait tout le sol. Le résultat était surprenant. Nous n'avions pas prévu que les transformations nous procureraient tant d'espace, de lumière. Notre appartement du rez-de-chaussée s'en trouva agrandi, rafraîchi. Nos amis enviaient notre situation et soulignaient qu'il était rare de rencontrer un propriétaire aussi bien disposé à satisfaire les besoins de ses locataires.

M. Forcier avait pris part avec nous à la réalisation de tous les travaux et ça lui avait donné un coup de jeunesse. Ce n'est vraiment qu'en travaillant, qu'en suant avec « ses jeunes », qu'il a appris à nous connaître. Jean disait souvent que nos actions nous révélaient plus que nos paroles, et je pense que c'est un peu à cela que songeait M. Forcier quand il nous regardait, satisfait, fournir encore plus d'efforts qu'il ne l'avait espéré.

L'humour de M. Forcier devenait vif, subtil et s'appliquait à notre complicité du moment. Nous avions véritablement beaucoup de plaisir à être tous ensemble.

En juin, au moment où ma sœur Marie a aménagé dans l'appartement B qui venait de se libérer, il ne nous restait plus qu'à installer un coin de verdure pour atteindre nos objectifs. M. Forcier était rassuré que ce soit elle qui loue son beau petit « quatre et demi » du deuxième étage.

— Si tu es aussi tranquille et honnête que ton frère, on n'aura pas de problème. Ici, c'est comme une grande famille... Ça va faire du bien à notre Suzanne d'avoir une autre fille avec elle dans la maison... C'est une chic fille, notre Suzanne!

Le lendemain de l'arrivée de Marie, nous avons profité de sa voiture pour aller chez un horticulteur acheter nos premiers arbres. Le même soir, M. Forcier sortit du sous-sol la belle surprise qu'il nous avait promise : une vieille table avec quatre chaises en bois, qu'il plaça devant les arbres.

Jean redoutait le premier juillet de cette année-là : c'était le jour où son frère et sa sœur retourneraient vivre en Gaspésie. René y avait trouvé un emploi et Cécile préférait élever ses enfants à la campagne. Jean se retrouvait le seul de sa famille à vivre à Québec. Une fois le gros camion de déménagement parti, Jean s'est promené pendant le reste de la journée dans les rues de Québec. Un peu avant la nuit, il est venu me rejoindre à la table en bois devant les pommiers. La situation n'était pas dramatique, mais sa voix était nostalgique.

— On dirait que maintenant, « chez nous », c'est ici, avec toi, ta sœur, Suzanne, Hervé et M. Forcier.

– 5 –
La pluie avait complètement cessé
– 1981 –

Au fil de l'été, la cour s'était transformée en jardin. Nous avions sans doute parlé à profusion de notre projet, car nous avons tous reçu de nos proches des arbustes, des vivaces, des boutures de toutes sortes qui, une fois réunis, donnaient l'impression d'un beau grand bouquet. Mes parents m'ont offert un lilas mauve de la même variété que celui qu'ils avaient planté près de la balançoire familiale lorsque mes sœurs étaient petites.

Gabrielle m'a invité à plusieurs reprises chez elle. J'en revenais avec un tremble, un bouleau... Des feuillus pour accompagner nos pommiers. Depuis son mariage, cinq ans auparavant, elle s'était établie à la campagne avec son mari. Ils n'avaient pas d'enfant et ne parlaient pas d'en avoir. Près du lac Beauport, au bout de leur long terrain boisé, leur maison sous les arbres était secrète, à l'abri des regards. Gabrielle avait toujours été différente de mes deux autres sœurs. Plus spontanée, elle donnait l'impression de n'apprendre la vie qu'en l'expérimentant elle-même. Avec elle, je pouvais faire du canot, chasser les grenouilles pour le souper, sarcler le potager, mais il n'était pas question d'entretenir de longues conversations sur des sujets intimes. Sur sa relation avec son mari, elle demeurait muette. C'était probablement un bonheur paisible qu'elle vivait sans avoir à le décrire. Quoi qu'il en soit, elle semblait heureuse et m'étreignait vigoureusement pour me témoigner son affection. Je la savais sincère dans son sentiment à mon égard, mais trop discrète à propos d'elle-même pour que j'aie envie de la fréquenter plus assidûment. Avec une de ses amies, Gabrielle avait ouvert un restaurant d'un nouveau genre. Se basant sur un concept de *self service*, elles offraient à leur clientèle une variété de pâtes fraîches, servies avec un vaste choix de sauces. De la comptabilité à la cuisine, elle avait tout appris « sur le tas ». Trois mois après l'ouverture de leur restaurant, elle avait téléphoné à nos parents pour les mettre au courant. Ils étaient déçus de n'avoir jamais eu connaissance du projet et déplorèrent de n'avoir pas eu la possibilité de l'aider financièrement. Dans l'intimité, mon père m'avait confié qu'il admirait le dynamisme de Gabrielle mais que sa grande autonomie lui faisait sentir qu'il devenait de plus en plus un homme inutile.

Mon père et moi avions l'habitude de nous rencontrer occasionnellement pour discuter, ressasser de vieux souvenirs et préciser un peu nos rêves. Cela se faisait discrètement, à l'insu des autres. L'avantage de nous comprendre mutuellement était pour nous un refuge. Depuis que j'avais aperçu ma mère pleurer à la fenêtre de sa chambre, parce qu'elle nous avait surpris, mon père et moi, alors que nous rigolions sur le parterre devant la maison, nos échanges se déroulaient en douce, loin de la maison, éloignés de son regard.

— Tu sais, même si je ne saisis pas toujours la nature de vos plaisirs, je suis très heureuse pour toi que tu communiques enfin avec ton père. La présence d'un père, c'est aussi très important pour l'équilibre d'un foyer... Et tu en as tellement manqué!

Parce que ses propos manquaient de sincérité, je ne relevais pas le sens des paroles de ma mère et m'efforçais de lui rappeler que je pouvais l'aimer pour ce qu'elle était, elle, pour sa douceur, ses idées, et qu'elle n'avait pas besoin de me retenir à elle en utilisant la culpabilité.

À la fin du mois de septembre, alors que notre jardin perdait les couleurs de son premier été, mon père m'a téléphoné pour convenir que nous nous rencontrions devant une boutique pour hommes qu'il affectionnait. Après les emplettes, il viendrait prendre un café à notre appartement.

— Avec tes études, tu auras besoin de vêtements propres. Bientôt, tes stages débuteront et tu seras un professionnel. Pour être pris au sérieux, il faut se vêtir d'une certaine façon... L'habit fait un peu le moine!

Avant même de partir de chez moi, je savais déjà qu'il allait m'offrir une chemise ou un pantalon et que j'accepterais avec plaisir. Entre quatorze et vingt ans, mes emplois de fins de semaine m'avaient permis de payer moi-même mes vêtements et c'est avec agacement que j'avais refusé l'argent qu'il m'offrait. Pendant toutes ces années, je voulais lui démontrer que je pouvais être autonome et que je l'appréciais pour ce qu'il était et non pas pour ce qu'il pouvait me donner. Il avait été si longtemps le pourvoyeur de notre famille que je m'accordais alors le droit de le gâter à mon tour.

— Il n'y aura pas de malentendu entre nous... Fais-moi plaisir, fais des choses pour toi!

Irrité, il répondait à chaque fois :

— Ne demande jamais à un pommier de manger ses propres pommes.

Je tenais à appliquer dans ma vie les théories apprises dans mes cours sur le comportement humain. Pourtant, une situation particulière était venue secouer mes belles théories. Un an plus tôt, mon père avait rencontré par hasard le mari de Gabrielle à la sortie d'une banque. Ce dernier lui avait fait part de ses problèmes d'argent. La banque lui refusait un prêt pour la réparation de son camion qui était en mauvais état. Il en avait besoin pour conserver son emploi. Mon père avait accueilli ses confidences avec sollicitude, sachant très bien que jamais Gabrielle ne l'aurait informé de la situation. Le lendemain, mon père avait annulé le voyage en France qu'il avait prévu depuis longtemps et avait fourni à son gendre l'argent nécessaire pour l'achat d'un nouveau camion. Il était fier et très heureux d'avoir eu la chance d'aider un membre de notre famille. Il avait besoin de se sentir utile. « Ils traversaient une période difficile et en aucun temps je ne regretterai ma décision. Toutefois Félix, je te demanderais d'être discret, car ta mère et ta sœur ne sont pas au courant de la situation. Soulager quelqu'un qui en a besoin, c'est plus important que n'importe quel petit luxe. »

Contrairement à ce que j'aurais cru, après avoir renoncé à son projet de voyage, mon père était encore plus heureux. Il se montrait comblé que l'on puisse accepter quelque chose qui venait de lui, que l'on accueille son geste.

Certes, le voyage qu'avait prévu mon père en France n'était pas pour lui une obligation, mais c'était tout de même un des plus grands rêves de sa vie. Je ne le comprendrai que des années plus tard.

La pluie tombait violemment, mon père m'attendait à l'intérieur de la boutique. Nous étions contents de nous revoir. Les vendeurs nous abordaient avec leur grand sourire, les rayons de vêtements défilaient rapidement, mais nous nous en foutions, nous étions heureux. Dans une allée, mon père a rencontré un de ses vieux collègues de travail. Depuis qu'il était à la retraite, il profitait de toutes les occasions pour se remémorer et partager ses grands et petits exploits d'antan. Je les ai laissés quelques instants pour partir à la recherche de vêtements qui me tiendraient au chaud autant que l'amour que mon père avait pour moi. Quand je suis revenu près d'eux, le vieil homme disait à mon père :

— Tu es vraiment à la mode, mon Émile!

Souriant, mon père a mis sa main sur mon épaule et lui a répondu :

— C'est parce que mon fils m'a bien élevé.

Le contexte ne se prêtait pas vraiment aux explications, mais quand nous nous sommes retrouvés dans mon appartement, il m'a expliqué le fond de sa pensée.

— L'homme que tu as rencontré tout à l'heure, c'est Gérard Pilon. Il travaillait comme ingénieur à l'Université. Il se fait du mauvais sang pour sa fille. C'est un bon bougre, mais il a de la difficulté à s'adapter aux nouvelles habitudes des jeunes. Alors sa fille lui ment. Elle fréquentait un Libanais à l'Université, mais ne le disait pas à son père parce qu'elle savait qu'il ne serait pas favorable à son choix. Elle a couché avec le gars sans être mariée, encore une autre cachette. Elle se sentait fautive de cacher des choses à sa famille, alors, à la fin du trimestre, elle a convaincu le pauvre gars de retourner à Toronto, avec les siens. Quelques mois plus tard, elle a réalisé qu'elle était seule, sans emploi d'été, sans ressources et enceinte. La gorge nouée par les remords, elle s'est présentée à la porte de ses parents. Pour Gérard, c'était dur à avaler. Il ne savait même pas que sa fille avait été amoureuse. Ce n'est pas drôle ce que la dissimulation et les mensonges peuvent faire. Pour nous autres, les vieux, ça nous fait sauter des étapes. C'est un peu pour ça que c'est si difficile parfois de comprendre les jeunes d'aujourd'hui.

— Mais qu'est-ce que ça vient faire avec moi? Je ne suis jamais tombé amoureux d'un Libanais et je ne suis pas prêt de me faire avorter!

— Quand je lui ai dit que tu m'avais bien élevé, je voulais qu'il comprenne que tu ne me mentais pas. Tu m'as progressivement informé de ce qui t'arrivait, alors il n'y a plus grand chose qui peut me surprendre, me choquer ou me scandaliser. Tu as le don de faire en sorte que ton idée fasse son chemin. Tu commences toujours tes confidences en me disant : « Je ne suis pas obligé de te le dire... Mais je sais que tu es suffisamment intelligent pour comprendre. » Ça ne me laisse plus tellement le choix de réagir autrement, mais j'aime mieux ça comme ça. Je me sens moins à part, moins ignorant et mes amis me trouvent à la mode!

— Tu penses vraiment que je n'ai pas l'habitude de te mentir?

— Sur les choses importantes, non. Tu as besoin qu'on t'aime. C'est ton point faible. Ça peut te jouer de mauvais tours. Tu as passé plus de vingt ans de ta vie à apprendre à bien parler; on peut par contre passer toute sa vie sans comprendre qu'on peut bien se taire...

— Ne t'en fais pas. La vie m'a appris à devenir muet quand il le faut.

— Bon, enfin t'as compris ça!

— Avant, tu étais évasif quand tu me parlais; tes réponses ressemblaient plus à des formules toutes faites qu'à un point de vue personnel. Pendant des années, j'ai cherché à te connaître, mais je me heurtais à un sage méthodique, contrôlé, qui me communiquait ses belles théories d'une façon didactique.

— C'est ça le conflit des générations... Les jeunes espèrent qu'on leur parle d'affection, d'amour et ne comprennent pas toujours notre façon de nous exprimer.

— Maintenant je le sais.

— Tu as pourtant, toi aussi, cette même façon de faire. Ta franchise te pousse à activer les choses, mais ta détermination à tout contrôler poliment me dit que tu as besoin de temps avant de prendre position.

— Ça me vient du sentiment d'être constamment inférieur à ce que j'admire. Le soir de mes dix-huit ans, j'ai compris que je devais diminuer mes standards si je voulais être heureux. Ma franchise, comme tu l'appelles, t'a probablement agacé bien des fois. Non?

Dans ma cuisine, le contexte était différent de celui de la maison familiale. Malheureusement, parce que sa réponse m'était chère, j'appréhendais la réaction de mon père. Avant de répondre à ma question, il a développé lentement un bonbon qu'il venait de sortir d'une de ses poches. Depuis que les médecins avaient diagnostiqué son diabète, nous en retrouvions partout autour de lui. Il ressemblait à un petit vieux endimanché pour une grande sortie. Il songeait à sa réponse et moi je l'attendais sans introduire un nouveau sujet de conversation.

— On ne change pas les gens. Ça ne servait à rien que je suppose toutes sortes de choses à ton sujet, sans que tu en sois toi-même conscient. Tu as probablement interprété mon silence comme de l'indifférence, et pourtant non. Il n'y a pas si longtemps, tu espérais encore que je change le monde, que je transforme ta mère pour qu'elle devienne une femme qu'elle n'est pas. Mais est-ce que je l'ai fait avec toi? Non, et tu te portes bien. Comprends-tu qu'il peut y avoir du respect dans le silence?

— Oui, et c'est ton acceptation qui m'a aidé à t'accepter.

La pluie avait complètement cessé. Avant de prendre le chemin du retour, mon père a ouvert le coffre de sa voiture et en a ressorti deux petits ormes qu'il m'a donnés.

— Je les ai fait pousser pour toi le long du garage au printemps dernier. Ils proviennent des nôtres... Ça te fera un souvenir de chez nous.

Le même soir, Marie est venue m'aider à les transplanter près des pommiers et c'est alors qu'elle m'a annoncé qu'elle était amoureuse d'une Hélène aux yeux rieurs. Nous nous sommes sentis tellement proches que l'on n'arrêtait pas de se bécoter. M. Forcier nous regardait de sa galerie, sans oser venir nous rejoindre.

Le ciel s'assombrissait. Les nuits devenaient plus fraîches. Par la fenêtre de la salle à manger de l'appartement de Suzanne, les silhouettes de Jean et de Hervé se dessinaient sur un fond doré. La venue de l'automne ne changerait rien pour moi : je me savais entouré de soleil.

– 6 –
La distance qui rapproche
– 1982-1983 –

Pendant l'hiver qui suivit, Jean reçut plusieurs
lettres de sa sœur Cécile. Le plus jeune de ses
enfants avait commencé l'école au mois de septembre
précédent et, avec deux de ses amis, elle avait lancé une
entreprise pour promouvoir, à travers tout le Québec,
l'artisanat local de la Gaspésie. Pleine d'espoir, elle ne
parlait que de ses projets; elle voulait inonder le marché
canadien et faire en sorte que les produits québécois
deviennent un objet de convoitise aux États-Unis.
Rien ne lui semblait insurmontable. Jean était épaté
par la détermination de sa sœur et, lorsqu'il parlait au
téléphone avec son frère René, tous deux ne pouvaient
s'empêcher de prendre quelques instants pour se
raconter les derniers exploits de leur sœur. Au nombre
de fois que René téléphonait chez nous chaque mois
pour parler à Jean, nous comprenions qu'il s'ennuyait
de lui. Leurs appels étaient parfois drôles, par moments
intimes, mais jamais ils ne laissèrent Jean indifférent.
Sans oser le lui avouer, j'aimais demeurer le témoin
muet de leur affection. Je l'ai envié sans connaître
vraiment ce que pouvait représenter la chance d'avoir
un frère. Son double, comme le nommait Jean, faisait
partie de sa vie, de son équilibre, de sa chair. Mêmes
gênes, même famille, même passé, ils avaient besoin de
leur approbation mutuelle pour avancer avec sécurité
dans la vie. Cette complicité inconditionnelle était
trop apaisante pour ne pas m'atteindre; alors je les

encourageais dans leurs élans, pour le simple plaisir d'en être le spectateur.

À toutes les deux semaines, je me réservais du temps pour répondre aux lettres que m'envoyait de Vancouver mon copain d'enfance, Mario. Il avait terminé ses études en graphisme, avait rapidement décroché un emploi dans une maison de publicité, et filait le parfait amour avec un gars qui habitait un village nommé Gibson. Selon leur entente, ils ne se rencontraient que les fins de semaine. La liberté dont semblait jouir Mario me stimulait, tout en m'apparaissant inaccessible. Il atteignait ses buts, il côtoyait des gens de langues et de cultures différentes. Devant ses succès, je ressentais un trouble intérieur. Il me répétait qu'il n'en tenait qu'à moi de mettre un peu de fantaisie dans ma vie. Malgré lui, ses audaces reflétaient mes vieux rêves de voyager, de mieux me connaître en découvrant le monde.

D'une lettre à l'autre, son invitation se précisait; nous pourrions partager son logement pour l'été et reprendre nos longues discussions d'autrefois. Son insistance secouait mes craintes de laisser Jean seul pour quatre mois et de me retrouver dans une ville étrangère. Pour Mario qui avait tout quitté, alors qu'il était encore adolescent, mes hésitations devenaient des excuses pour rester dans mon quotidien confortable. Suivant sa propre philosophie, il trouvait tout à fait réaliste que je laisse ma famille, mes amis et mon *chum* pour découvrir un autre coin du monde. Jean s'était d'ailleurs choqué lorsque je lui avais fait part de mes réticences.

— Je ne veux pas que tu te prives de faire certaines choses par amour pour moi. J'aurais trop peur que tu finisses par me détester. J'aime le côté sensationnel que la liberté donne à la vie. Ne deviens pas soumis, limité et moche à mes côtés. Je ne le prendrais pas... Vis donc ta vie, et si tu me reviens à la fin du mois d'août avec de l'amour dans les yeux, je serai le gars le plus heureux de toute la ville de Québec. Comprends-tu ce que je veux pour nous?

L'argumentation de Jean m'avait placé au pied du mur. Ses paroles rejoignaient d'une certaine façon mes propres interrogations. Devions-nous espérer un amour au quotidien ou un amour passion? Par principe, j'étais contre le confort au quotidien. Mais pourquoi mettre à l'épreuve les sentiments de celui que l'on aime? La peur de ne plus être son préféré, son privilège, son penchant injuste et prononcé, a sans contredit orienté mes choix vers un destin plus conformiste.

Encouragé par l'attitude de Jean et par celle de ma famille, j'entretenais toujours le projet de rejoindre Mario pour les vacances, mais ma décision se faisait attendre malgré tout. Avec du recul, je comprends maintenant que je ne voulais pas que mon histoire d'amour avec Jean devienne banale ou simplement ordinaire comme bien d'autres. Puis, un soir où je ne m'y attendais pas, Jean me tendit sur papier la réponse à mon dilemme.

— Tiens. C'était dans la boîte aux lettres... Ton nom est écrit sur l'enveloppe, mais il n'y a pas de timbre.

C'était la première fois que mon père m'écrivait. Je ne connaissais pas son écriture. Elle m'apparut maladroite et, à sa lecture, je compris que mon père avait fait un effort pour moi.

Fiston, puisque parfois tu te poses trop de questions, laisse-moi te citer Saint-Thomas d'Aquin : « À vouloir éviter de faire des erreurs, l'on risque de faire une erreur de sa vie. »

Partout où tu iras, envoie-moi des cartes postales. Je voyagerai avec toi!

Ton père

P.S. : Quand on est vieux, on aime ça avoir des nouvelles de ses enfants.

Sans soulever de poussière, les mots de mon père étaient venus alléger ma décision. Ainsi, j'ai travaillé comme moniteur de langue seconde non pas un été à Vancouver, mais deux étés! Le nom même de Vancouver était devenu pour moi un synonyme de vie, de victoire.

Mario avait aménagé pour moi, un lit et un meuble de rangement près de la fenêtre de sa pièce de travail. Certains murs étaient presque entièrement recouverts de ses dessins et illustrations. Son talent était évident! Dans un cadre en bois, posé en évidence sur son bureau, il y avait une vieille photo de nous deux devant le collège. Nous avions beaucoup changé physiquement, pourtant je savais que ces deux adolescents aux sourires maladroits vivaient toujours à l'intérieur de nous. Mario me confirma la même chose.

C'était bon de retrouver Mario. Sa vie ressemblait à ce qu'il m'en avait dit; sa ville aussi, avec sa pluie incessante, ses longs lierres et ses outardes dans le parc Stanley. Une grande partie de ces deux étés s'est déroulée en promenades et en discussions de toutes sortes. Mes fins de soirée, je les gardais pour la rédaction de mes lettres d'amour à Jean. La distance avait cultivé la passion. La réalité se transformait et devenait le reflet de nos rêves. Jean écrivait très bien. Il savait laisser parler son cœur. Si l'habitude d'une relation quotidienne peut engendrer une part de mépris vis-à-vis de l'autre, le manque de l'autre peut par contre stimuler le désir. Je devenais ultra-sensible aux témoignages de Jean. Sa cour assidue le rendait unique... Nous étions uniques l'un pour l'autre, et c'était encore plus facile de s'aimer. La préposée du bureau de poste me trouvait *«funny»*. Elle m'accueillait par un *« again »* et me laissait par un *« See you soon »*. J'étais envoûté de constater que je pouvais être sous le charme de quelqu'un. Pendant ces deux saisons de quatre mois, je n'ai pas eu de mérite à « attendre » Jean; les hommes près de moi me semblaient si ternes, si petits avec leurs émotions étroites. Même seul dans ma chambre, je n'enviais personne autour de moi. La solitude accentuait mes idéaux. Je rêvais de lui le jour, et si parfois je me réveillais la nuit en le cherchant dans mon lit, j'étais rassuré de savoir que je pouvais mettre un nom sur mes phantasmes. Une grande partie de ma confiance en moi me venait de son admiration. Je parlais peu de lui avec Mario et je passais de longues soirées à corriger les travaux de mes élèves, mais quelque part en moi, je savais qu'il était là. On me félicitait sur ma façon d'enseigner, d'organiser ma vie, mais l'on ne voyait pas ce qui était pour moi l'essentiel : quelqu'un que j'admirais m'aimait réellement.

Je me sentais bien avec mes choix, donc libre. Ces deux étés-là, pour célébrer le 25 juin à notre façon, je me suis rendu au restaurant pivotant le plus haut de la ville et, un verre de vodka jus d'orange à la main, j'ai regardé vers l'est en pensant à Jean, en songeant aux belles années que nous réservait l'avenir et, à voix haute, j'ai prononcé « je t'aime ». C'est fou, mais j'étais convaincu d'entendre sa réponse.

***

En août 1983, quand je suis revenu à Québec, j'étais heureux de revoir toute la maisonnée. Ils étaient comme auparavant, mais plus intimes. Orgueilleux de ce qu'il nommait « notre petit paradis », M. Forcier ne tarissait pas d'éloges lorsqu'il parlait de notre cour. Effectivement, après trois étés ensoleillés, de l'engrais et beaucoup d'amour, le résultat était étonnant. Rien ne s'était perdu. Toutes les fleurs vivaces s'étaient reproduites, certains arbres, dont les mélèzes de Jean, avaient plus que doublé de grosseur et une agréable odeur champêtre se retrouvait un peu partout. Aussi tangible que les lettres d'amour qu'il m'avait envoyées, je pouvais vérifier l'honnêteté des sentiments de Jean à mon égard, en constatant avec quel soin il avait entretenu les arbres que j'avais plantés. Avec de l'intensité dans la voix, il m'expliqua qu'il avait fabriqué de nouveaux tuteurs pour les deux ormes de mon père. « Ce sont mes préférés. Regarde toutes ces nouvelles tiges. Ils veulent vraiment atteindre le ciel. Seras-tu près de moi au moment où ils y parviendront? » Ce nouveau filet d'espoir lui serra la gorge et nous laissa sans mots. Alors, je le pris dans mes bras pour qu'il comprenne ma réponse. Il était doux de songer que nous étions enfin réunis.

Selon le souhait de M. Forcier, Suzanne et Marie étaient effectivement devenues de bonnes amies. Dans le jardin près des lilas, elles aimaient passer leurs soirées en confidences. Marie racontait simplement l'existence qu'elle menait. Suzanne était rieuse, bavarde et leur opinion au sujet de Hervé avait changé. Pendant le temps qu'avaient duré les travaux dans la cour, il s'était montré énergique et beaucoup plus responsable que nous ne l'avions d'abord cru. Nous avions parfois l'impression, Marie et moi, qu'il amadouait l'univers féminin par l'entremise de Suzanne. Il avait dû admettre, avec ses expériences passées, qu'il devait changer des choses en lui, s'il voulait obtenir un résultat différent la prochaine fois qu'il serait amoureux.

— Voyons donc, Jean! Pourtant, c'est pas si compliqué que ça, l'amour.

— Plusieurs s'y brûlent...

— Je comprends pas ça. C'est si simple.

— Oublie pas les concessions au jour le jour. Ça peut éteindre bien des flammes.

— Oui mais, si tu sais que tu aimes vraiment, ça devient plus facile.

— Et comment sais-tu si tu aimes vraiment?

— Quand je veux le bonheur de l'autre!

— Tu as, encore et toujours, le côté naïf de ton enfance et ça semble te rassurer. Probablement que ça t'évite bien des prises de conscience. Tes convictions te procurent une certaine confiance en la vie que je n'ai pas souvent. On est ensemble depuis quatre, cinq ans. Mon père dirait qu'on est encore dans le glaçage. Es-tu conscient que le plus difficile reste à venir? Quand je vais en Gaspésie ou que je téléphone à René ou Cécile, il ne se passe pas une seule conversation sans qu'ils ne m'encouragent à poursuivre ma relation avec toi.

— Ça te contrarie?

— Oui, car je sais qu'ils ont connu l'usure du temps sur l'amour.

— Qu'est-ce qu'ils te disent pour que tu le voies de cette façon-là?

— Rien de spécial, sauf que dans leur voix, lorsqu'ils me disent d'en profiter, j'entends que l'amour est éphémère comme le temps d'un été.

— On va faire notre histoire un jour à la fois. De toute façon, on ne ressemble à personne d'autre qu'à nous-mêmes! Et si je t'écoutais, je pense qu'on devrait laisser le fleuve déborder sans réagir. Tu démissionnes trop facilement... Laisse pas tes peurs de l'avenir gâcher notre présent. Je veux que notre amour demeure le plus beau que je connaisse.

— T'as toujours aimé ça trouver des réponses à mes doutes.

— Écoute-moi bien, Jean Durivage, je patine vite parce que, moi non plus, j'aime pas le vide froid que laissent tes questions. À quoi ça sert de se demander ce qu'on fera dans telle ou telle situation? Le 25 juin 1978, si je m'étais dit que tout ce qui commence doit finir un jour, tu serais resté au bar avec tes amis.

— Alors t'as peur, toi aussi, tête dure?

— Je sais simplement qu'on peut se noyer dans une flaque d'eau. Je m'arrange pour que ma vie me ressemble, pis j'ai pas le goût d'avoir peur, parce que ça me ferait oublier qu'on est chez nous, que nous sommes côte à côte, et que j'ai la chance de te voir sans tes lunettes. Le privilège que j'ai fait fuir le reste.

— Moi aussi, je t'apprécie mon raton, même si parfois je me sens encore « tout croche ».

– Ben, si tu penses en être capable, raconte-moi donc une nouvelle aventure de lapin et de raton. Ce sont les histoires que je préfère... Elles nous ressemblent un peu.

Jean s'était tourné sur le côté et avait appuyé son dos le long de mon torse. J'avais posé mon bras le long de son corps. Nous aimions cette position des « cuillères », mais rien n'était suffisant pour lui apaiser l'esprit. Alors, comme il demeurait muet, j'ai entamé l'histoire.

– Il était une fois, un raton laveur qui aimait d'un amour tendre et secret un lapin qui vivait dans le petit bois près de chez lui. Convaincu que cette passion était sans issue, il s'était résigné à ne jamais l'aborder. Mais ne sachant que faire de toute l'énergie nouvelle que le lapin avait fait naître en lui, le raton s'était mis à cultiver un champ de carottes et allait déposer chaque matin, avant l'aube, une carotte fraîche à l'entrée du terrier du lapin. Et chaque matin, le lapin demandait à la forêt : « Qui es-tu pour me vouloir ainsi du bien? Dis-moi qui tu es! ». Par peur d'être ridicule, le raton demeurait muet et regardait la scène, caché derrière un gros tronc d'arbre. Au fond de ses yeux noirs, il s'en voulait d'avoir semé un espoir fou que l'on disait perdu d'avance...

– Mais voilà qu'un bon matin, un loup affamé fut témoin de la scène. Il trouva la situation si coquette, qu'il ne put s'empêcher d'y assister le matin suivant. Comme d'habitude, le raton déposa la carotte fraîche au même endroit et, comme d'habitude, le lapin s'écria : « Qui es-tu pour me vouloir ainsi du bien? Dis-moi qui tu es! ». C'est alors que le loup sortit de sa cachette pour se diriger, les bras ouverts, dans la direction du lapin. D'une voix délicate comme la rosée, il proféra :

« C'est moi. Viens, viens à moi. Je t'attends depuis si longtemps! » Alors, tout comblé de bonheur d'avoir enfin une réponse à sa question, le lapin bondit de joie dans la direction du...

— Non, non, c'est pas comme ça que ça se termine une histoire de lapin et de raton.

— Pourquoi t'accepterais pas tout simplement la vie comme elle se présente à toi?

— Parce que là, c'est pas la vie, c'est une histoire d'espoir, et je sais très bien ce qu'elle symbolise pour toi. Alors j'ai pas envie que t'en fasses n'importe quoi. Ou plutôt, je sais comment ça doit finir avec ta mentalité défaitiste!

— On change pas les gens, même avec de l'amour.

— Mais est-ce qu'on peut les influencer?

— Un peu.

— Si on peut les influencer un peu, c'est donc dire qu'on peut aussi les changer un peu, maudit lapin borné! De toute façon, mon histoire n'est pas encore terminée et le meilleur s'en vient car, comme les lapins, un raton peut avoir plus d'un tour dans son sac. Alors donc, le lapin bondissait de joie en direction du loup mais, comprenant la supercherie et l'urgence de la situation, le raton sortit de sa cachette pour crier très fort : « Non, c'est moi, ce n'est que moi! » N'y comprenant plus rien, le lapin retourna se cacher dans sa tanière, mais tendit l'oreille et ouvrit grand ses deux yeux rouges pour suivre le dénouement de cet étrange affrontement. Enragé et de plus en plus affamé, le loup dit au raton : « Puisque c'est ainsi, c'est toi que je vais manger! » À ces mots, le raton grimpa au sommet de l'arbre le plus proche. Il n'était pas très haut et le loup, par ses bonds incessants, risquait de l'atteindre en moins de deux, quand tout à coup le raton vit, sur la branche supérieure, un nid de guêpes qu'il lança dans la gueule ouverte du loup. Pauvre loup, il avait beau tousser, cracher, rien n'arrêtait les guêpes de tourner autour de sa tête. À bout de souffle, n'en pouvant plus, il se lança à toute hâte dans le lac le plus près. La paix étant revenue, le lapin s'était assis au pied de l'arbre pour attendre la descente de celui qui lui avait sauvé la vie. « Alors c'est toi qui m'apportait chaque matin une douce carotte fraîche? » Le raton était si ému qu'il n'osait le regarder dans les yeux, mais il lui répondit tout de même : « Oui, et, si tu le veux, j'ai un champ plein de carottes pour toi. » Comblés, ils partirent patte dans la patte vers l'autre versant...

— C'est beau, mais il manque quelque chose... Le lapin fait trop facilement confiance au raton. N'oublie pas qu'il est masqué!

— Tu as raison, j'avais oublié. Avant de partir avec le raton, le lapin lui avait demandé : « Si c'est vraiment toi qui m'apportais ces carottes, dis-moi la date exacte où tu as commencé à le faire. » Embarrassé, car cela faisait déjà plus de quatre ans, le raton répondit : « Depuis le 25 juin 1978. » Alors, patte dans la patte, ils se dirigèrent...

— C'est pas ça que je voulais dire. Je pensais à quelque chose de plus personnalisé.

— Tu veux dire que c'est pas encore à ton goût, que c'est pas encore exactement comme tu l'avais souhaité?

— C'est ben correct, mais tu pourrais juste y ajouter : Et, partant patte dans la patte vers l'autre versant, le lapin avoua au raton : « Tu sais, il est vraiment superbe ton masque. Où l'as-tu acheté? ».

Jean était de nouveau détendu, sa respiration était profonde et régulière, mais avant de dormir, il ajouta : « Ce qui m'attire et me trouble en toi, c'est l'espoir et la ténacité que tu as parfois. J'en ai besoin moi aussi. L'espoir, c'est fragile, je devrais y faire attention! »

***

Ma mère n'entretenait toujours avec Jean que des échanges de politesse. Elle reconnaissait qu'il était un « bon gars », mais repoussait difficilement l'idée qu'il puisse être celui par qui elle m'avait perdu. Élevée dans une famille catholique où le sens des responsabilités était poussé à l'excès, elle avait consacré la majeure partie de sa vie à satisfaire nos besoins d'amour et de soins. Une touche d'intelligence et de profonde affection avait teinté tout ce qu'elle avait entrepris. Soucieuse d'une bonne éducation pour nous, elle avait d'abord prêché par l'exemple, utilisé les mots les plus pertinents et gardé son calme sans jamais démissionner lorsqu'un obstacle s'était dressé entre nous. Son désir d'atteindre le paradis à la fin de ses jours lui avait ordonné de ne jamais interrompre sa quête perpétuelle d'un sens toujours plus profond de l'existence. C'est dans la Bible, toujours rangée près de son lit, qu'elle avait puisé son réconfort, son courage, sa foi qui déplaçait les montagnes. « Sans Dieu, nous ne sommes rien », nous avait-elle répété maintes fois. « Nous sommes sur cette Terre pour, et grâce à lui. C'est Dieu qui nous a donné la vie et qui nous la reprendra. » Les conséquences de ses actes ayant toujours passé avant ses besoins immédiats, il allait donc de soi qu'elle s'opposât à mes choix. Un jour qu'elle s'était montrée particulièrement hostile envers Jean, je lui avais promptement précisé de ne plus jamais se placer entre lui et moi. « Jean fait partie de mon présent et de mon futur mais, les parents, ça peut ne se limiter qu'au passé... Fais attention si tu ne veux pas me perdre pour de bon! »

La première année que j'ai vécu avec Jean, ma mère n'était venue me visiter qu'une seule fois. Probablement un peu par acquis de conscience, pour se rassurer et évaluer jusqu'où j'avais bien pu sombrer. Par contre, depuis les dernières années, lorsqu'elle rendait visite à Marie en haut de chez nous, elle s'organisait aussi pour que l'on puisse se rencontrer. Sa relation avec elle était plus détendue, moins confrontante que la mienne. Il est vrai que Marie vivait seule et cela semblait essentiel pour ma mère. Hélène avait gardé son appartement à Lévis, près de son travail. Une autre chose était aussi importante : jamais Marie n'aborda directement son homosexualité avec elle. En aucun temps, elle ne lui demanda son approbation. Notre mère n'avait donc pas l'obligation de la lui donner. Elles se rencontraient pour magasiner, coudre ou jouer aux cartes. Marie permettait ainsi à notre mère de se changer les idées, de sortir un peu de la maison, sans entrer dans des conversations engageantes. Même si, au début, cette relation que je qualifiais de superficielle m'agaçait, je dus reconnaître qu'avec le temps, Marie offrit la possibilité à ma mère de s'habituer graduellement à une autre façon de vivre. Assurément, Marie aussi rêvait d'être encouragée et non pas seulement acceptée. Mais dans la femme énergique et rieuse qu'elle était devenue, il y avait toujours en elle la douce petite Marie ·d'autrefois qui lui dictait d'être patiente.

D'ordinaire, quand ma mère venait passer une journée chez Marie, c'est vers trois heures qu'elle descendait lentement les marches pour venir prendre un café et des biscuits en ma compagnie. Sans invitation spéciale, elle me découvrait dans mon quotidien, avec mes travaux scolaires en route, mes restants de bonnes bouffes et ma chatte qui me suivait d'une pièce à l'autre. Mis à part nos malentendus, mon homosexualité et le quartier qu'elle n'aimait pas, j'ai ressenti par moments qu'elle entrevoyait et apprivoisait la possibilité que je puisse être heureux à ma façon. Mon projet de maîtrise l'intéressait. Pleine d'orgueil, elle m'écoutait lui exposer comment devait s'élaborer un centre d'accueil pour les plus démunis. Ses mains se croisaient et se décroisaient nerveusement. L'espoir surgissait par petites doses en elle. Par bribes, elle me revoyait enfant, vêtu de la cape de missionnaire qu'elle m'avait confectionnée.

— Tu vas donc aider les gens qui en ont besoin?

Nous avions le cœur un peu gros. Comme je l'avais fait lorsque j'étais petit, c'était maintenant à son tour de me poser des questions naïves. De simples phrases où elle allait chercher ce qu'elle avait besoin d'entendre. J'avais choisi une vie sans religion, sans enfant, mais cela ne faisait pas de moi un égoïste pour autant. Ce n'était pas ce qu'elle avait prévu, mais c'était quand même beau. La tête moins lourde, elle retournait chez Marie. Dans l'escalier, elle s'arrêtait pour constater l'évolution de nos plantes et de nos arbres, en passant ses commentaires comme une vieille religieuse attendrie l'aurait fait. Entre deux marches, mon regard s'attardait sur ses chevilles enflées, ses bas à jarretières miel doré, ses petits souliers plats que seules les personnes âgées osaient encore porter. Mes sœurs me l'avaient dit : elle vieillissait. Une fragilité nouvelle l'habitait. Le torrent qu'elle était autrefois se transformait progressivement en un fin ruisseau que la sécheresse menaçait. Pour que la paix revienne définitivement entre elle et moi, je devais à mon tour l'aimer comme elle était. Le chemin qu'il me restait à faire, pour nous rejoindre vraiment, était assurément plus court que celui qu'elle avait fait pour moi déjà.

– 7 –
Marquer la vie
– 1984 –

À l'époque où Jean et moi habitions ensemble sur la rue Saint-Olivier, nos saisons étaient marquées par les rires, les jeux et les chants des enfants du quartier Saint-Jean-Baptiste, nous rappelant par surcroît que rien ne naîtrait de notre union. Par la fenêtre du salon, nous aimions regarder leurs courses folles. Leurs sauts dans les marches de l'église, le début des cours, les fins d'année scolaire. Leur existence marquait le temps qui défilait doucement. Un bas de jupe défait, des lunettes cassées, un pantalon déchiré, une chemise neuve, un nouveau sac d'école, des rubans rouges dans les cheveux... Avec les années, nous avions fini par apprendre certains de leurs noms, des anecdotes, et reconnaître les membres d'une même famille. Devant l'entrée principale de l'école, en fin d'après-midi, plusieurs parents se retrouvaient pour accueillir leurs jeunes et les ramener à la maison; nous, on ne faisait que passer devant. Nos sourires leur démontraient notre affection, notre envie.

Au cours de ces premières années de vie commune, nous avions délimité et fortifié notre place au sein de nos familles, de nos amis et de nos milieux de travail, mais un autre besoin s'installait peu à peu entre nous, en nous. Le désir de donner la vie avait pris racine dans nos rêves refoulés et se manifestait quotidiennement, nous laissant blessés. Je parlais de mes plantes comme si elles étaient « mes bébés ». Nous avions convenu que

87

notre chatte Bénazir ne serait pas stérilisée avant un bon bout de temps. Ses portées étaient pour nous une source de joie, et nous nous faisions un point d'honneur de bien sélectionner les familles d'accueil de ses chatons.

Comme mes sœurs, j'avais été élevé avec le sentiment que la famille, la vie, les enfants étaient ce qu'il y avait de plus cher au monde. Dès le départ, lorsque j'envisageais mon homosexualité, le fait de ne pas avoir d'enfant me semblait être une catastrophe. Lorsque je regardais Alice avec ses enfants, j'étais toujours épaté en songeant qu'ils provenaient de son ventre.

La partie de la vie de Jean que je n'avais pas connue me manquait. Je l'imaginais petit, adolescent, à l'école, avec ses petites lunettes de côté. Lors de nos vacances en Gaspésie, j'aimais discuter avec sa mère de ses interminables questions d'enfant.

— Il était tellement curieux.. Une vraie fouine! Justement, j'ai une photo, pas tellement loin, où on le voit, le pied coincé dans la rigole du toit. Il voulait connaître jusqu'où s'étendait le fleuve!

Alors, elle me parlait de son passé, et me montrait les photos. J'étais captivé. Elle s'en apercevait et devenait encore plus fière.

— D'autres fois, c'était un vrai petit prince. Je lui confectionnais les plus beaux vêtements. Ici, il est devant la maison. Quand les enfants vivaient encore avec nous, je plantais des milliers de fleurs sur le parterre. Avec le salin, nous devions constamment entretenir le terrain, mais ça, c'est un détail... Chaque soir, je remerciais le Seigneur de me l'avoir donné. Jean nous a tellement apporté de bonheur que nous avions, son père et moi, toujours la crainte de nous le faire enlever!

Durant chacune de mes conversations avec sa mère, Jean se montrait toujours impatient et cherchait à changer de sujet quand nous parlions de lui. Sur le chemin de retour vers Québec, Jean me redisait qu'elle avait exagéré encore une fois, qu'il avait toujours eu des petits yeux en trous de suce, qu'il n'y avait jamais eu « des milliers » de fleurs en même temps devant la maison. Alors, comme d'habitude, en souriant, je le regardais se débattre comme un petit démon tombé dans un bénitier. Il était surtout agacé par mon attitude, par les encouragements que je prodiguais à sa mère, et plus que tout, parce qu'il comprenait que j'avais encore une fois réussi à entendre ce que je voulais entendre.

— Ce n'est pas la réalité.

— Jean, ta mère ne se vante pas de savoir décrire la réalité. C'est trop ennuyant pour elle! Elle a trop de caractère, de passion. Cette « terrible bonne femme », comme tu l'appelles, elle au moins, elle a compris que ses exagérations ne sont qu'en proportion de l'amour qu'elle a pour toi. Le reste n'est que prétexte.

J'avais besoin d'établir des liens entre les gens que j'aimais. De sentir la continuité des générations. Je me réjouissais de détecter les traits physiques ou de caractère qui sont transmis.

Entre Jean et moi, il n'y aurait jamais d'enfant. Alors je ne pouvais me payer le luxe de m'abandonner à la rêverie. On reconnaît toujours un couple stérile, et cette réalité était la mienne. Je devais combattre mon manque et trouver des solutions de rechange. Mais la question n'était jamais réglée définitivement. Il y aurait toujours des enfants, des familles ou des projets sur ma route pour me rappeler ma situation. Mes valeurs familiales ne collaient plus avec ce que je vivais, mais certaines phrases de ma mère me revenaient en mémoire et me rassuraient.

— Ce sont de nouvelles fleurs?

— Oui. Pour agrémenter le parterre, cet été, j'ai décidé de planter des annuelles entre nos vivaces. Elles n'ont qu'un temps... Alors elles donnent leur maximum. Elles vont réveiller celles qui sont là depuis trop longtemps, qu'en penses-tu, mon grand?

En y songeant, je me disais que je n'étais que de passage moi aussi, et que c'était mon temps de fleurir. Un lilas ne peut être en fleurs au mois d'août, alors j'apprenais à profiter de ce que je pouvais faire avec ce que j'étais.

Plusieurs fois, je fis le même rêve. Jean et moi étions sur un navire. Il avançait à grande vitesse, fendant les flots, traversant les mers les plus déchaînées. À bout de souffle, mais comblés, le sommeil venait à nous. La paix et l'abandon se lisaient sur nos visages. C'était un soleil de plomb, sans le moindre vent, qui nous réveillait brutalement. Autour de nous, un sol asséché, craquelé, s'étendait à perte de vue. Le beau gros navire devenait une honte, coincé dans une mer de fissures. Venant de très loin, le rire d'un enfant se faisait entendre et nous rendait encore plus ridicules. Je me réveillais en sueur, une autre journée pointait à l'horizon.

Pour mettre un peu d'ordre dans mes idées, je prenais l'autobus et me rendais sur la grève pour marcher le long du fleuve. Comme mon père, je retrouvais mon équilibre près de l'eau. Le mouvement des vagues, le varech et le vent du large me sortaient de moi-même et m'ordonnaient de croire qu'il existe un équilibre en toute chose. Rassuré par cette ouverture sur le monde, la tête ivre, je laissais ballotter mes pensées en imaginant la trajectoire qu'aurait à suivre l'eau de notre fleuve pour se rendre jusqu'en Chine. À l'occasion, mes promenades m'amenaient jusqu'au Vieux-Port pour contempler les nouveaux navires qui avaient accosté. Le travail de l'équipage pour s'harmoniser avec les mouvements de l'eau était si précis! Toutes les opérations se déroulaient avec coordination. Le jeu de l'équilibre s'effectuait. Comme il était doux de croire que nous avions tous un rôle à jouer sur cette terre. Que nous étions tous dans le même bateau!

C'est lors d'une de ces promenades que j'ai réalisé que, du plus gros navire à la plus petite embarcation, tous avaient un nom, et portaient une inscription sur l'un de leurs flancs. Le besoin d'être reconnu, d'être identifié, s'étalait partout autour de moi : les sentiments d'appartenance et de possession étaient donc si forts chez les humains? Alors, j'ai su, à ce moment-là, ce qu'il me restait à faire.

Depuis longtemps, j'entretenais le rêve de marquer en moi ce qui m'était important. M'engager dans une action définitive que je ne pourrais jamais nier. La plupart des gens, consciemment ou inconsciemment, font des choix qui déterminent leur vie. Ils se marient, signent des contrats, font des bébés... Si Jean avait été une femme, je l'aurais probablement épousé. Non pas pour que ça dure toujours, mais pour que je ne puisse jamais oublier qu'un jour je l'ai aimé follement, dans mon cœur et aux yeux de tous. Le côté éphémère des choses m'agaçait. En ces temps instables, on nous enseignait poliment que rien ne pouvait être pris pour acquis. Jean, le premier, dévorait notre amour comme si c'était toujours la dernière journée. Il croyait toujours que l'amour ne pouvait résister à l'usure du temps. Lorsque j'étais dans ses bras, il était convaincu que je l'aimais, pourtant jamais il ne poussa l'audace jusqu'à me parler d'avenir lointain.

Dans les mois qui suivirent, je me suis rendu plusieurs fois chez le maître tatoueur de la côte d'Abraham. Il me disait de prendre mon temps, qu'un tatouage devait représenter un changement important de ma vie. « Lorsque tu seras vieux et que tu te berceras dans ta cuisine, il faut que tu souries en le voyant. Penses-y encore et reviens me voir. »

***

Le 18 septembre de l'été qui suivit fut magnifique. Le sol était chaud, riche d'un été prospère. Marie et Hélène m'avaient invité à me joindre à elles pour une partie de golf en matinée. Mes maladresses ne faisaient qu'amplifier leurs fous rires. C'était la première fois qu'elles exprimaient devant moi leur tendresse amoureuse avec autant de naturel. La sexualité féminine est si souvent niée qu'on veut encore nous faire croire que les attouchements entre filles sont dépourvus de plaisir charnel. C'est pourquoi leurs démonstrations amoureuses, sans équivoque, me faisaient plaisir. Le chemin pour en arriver là est parfois si long! En les regardant s'amuser, je songeais à celles qui ont menti toute leur vie; ces femmes conditionnées qui se sont fermées à elles-mêmes. Marie, notre petite sœur, disait enfin oui à sa vie. J'étais ému d'en être témoin.

Elles me sentaient fébrile et n'associaient ma nervosité qu'au seul retour de Jean en soirée. Après plus d'un mois de vacances en Italie, Jean était enfin dans l'avion de retour entre Rome et Montréal. Malgré les trente-quatre lettres d'amour que je lui avais remises avant son départ et qu'il avait ouvertes quotidiennement, l'une après l'autre, il entretenait toujours l'idée, la possibilité que mon sentiment pour lui puisse s'être transformé, et il l'acceptait. D'une certaine façon, il avait raison.

Cette journée-là, entre le golf et l'aéroport, je me suis rendu à mon rendez-vous. J'avais enfin un secret. Je réalisais mes rêves. Cet après-midi là, j'ai fleuri. Encore une fois, je me suis rendu sur la côte d'Abraham. Mon pas était plus décidé, mon entrée dans la boutique moins effacée. Me voyant tout confiant, assis dans la grande chaise, précisément à l'heure convenue, Bruce me dit : « Aujourd'hui, tu es prêt. » Dans la vitrine, mon regard suivait les mouvements du soleil altérés par la circulation automobile. À la radio, Pauline Julien chantait : « J'pensais jamais que je pourrais faire ça. » La chanson me sembla de circonstance! La pièce était teintée de jaune, la température montait, alors je me suis abandonné. Discret, Bruce a transformé mon bras, juste pour moi, simplement pour que ma vie me ressemble un peu plus, me laissant définitivement différent. J'étais grisé du sentiment d'avoir enfin fait quelque chose d'irrémédiable. Je n'étais plus le même. À défaut de procurer à Jean l'enfant que nous souhaitions, je tenais en moi un argument pour le convaincre qu'une partie de lui me suivrait toute ma vie, puisqu'il était maintenant sous ma peau.

À l'aéroport, comme dans l'auto qui nous ramenait à la maison, j'étais heureux, excité à l'avance à la pensée de lui annoncer la nouvelle. Jean n'arrêtait pas de parler, de commenter ses découvertes. Un sourire en coin, qui n'était pas là auparavant, me suivait partout. Ce n'est que très tard, après que les valises furent complètement vidées de leur contenu, que Jean s'informa réellement de ce que j'avais fait depuis trente-quatre jours. Dans mon gilet de coton blanc à manches longues, je l'informai plutôt de ce que j'avais fait l'après-midi même. Jean était étonné, s'agitait sur le divan pourtant confortable. Il voulait voir le résultat. Il ne comprenait pas pourquoi je ne lui en avais jamais parlé. Ça le surprenait de la part d'un des enfants de la « sainte » Béatrice. Puis, j'ai relevé la manche droite de mon gilet jusqu'à l'épaule. Il a vu et n'a rien compris. Sur le rebord de la fenêtre ouverte, nous avons parlé pendant tout le reste de la nuit.

— Mais ce sont des caractères chinois!

— Oui, et ça demeurera du chinois pour tout le monde. Sauf pour toi, si bien sûr tu veux en connaître la signification. Nous aurons un secret. Un moment gravé que nous ne pourrons oublier ou nier.

— Oui, je veux savoir. Qu'est-ce que ça signifie?

— Je ne sais pas si tu te rappelles d'un jour, nous étions en Gaspésie, le fleuve s'ouvrait devant nous. Le vent gonflait tes cheveux. La plage était déserte, alors tu avais entré tes mains sous mon chandail pour les réchauffer. Nous étions si près l'un de l'autre. Sous ta peau, je sentais ton cœur battre et mon corps prenait le rythme du tien. Je voulais garder ce moment vivant. Après m'avoir embrassé dans le cou, tu avais remonté tes lèvres jusqu'à mon oreille et tu m'avais dit des choses...

— Félix, arrête de tourner autour du pot. Qu'est-ce que veut dire ton tatouage?

— ... Et tu m'avais dit : « Tu me rends heureux comme personne. »

– 8 –
À proximité de la haine
– 1986 –

D'un hiver à l'autre, M. Forcier devenait de plus en plus anxieux. Si les périodes d'été dans le jardin lui procuraient la détente et la chaleur humaine qu'il souhaitait, en revanche la venue de la neige l'isolait dans son petit logement, lui arrachait peu à peu les douceurs qu'il avait accumulées pendant les jours plus chauds. Plus on cherchait à le sécuriser, moins il nous semblait réceptif. On aurait peut-être dû partager ses craintes avec lui, histoire de ne pas lui en laisser le monopole. Il avait recommencé à boire seul les après-midi. Ses yeux s'étaient creusés et s'enfonçaient sous ses cernes.

Nous avions décidé de le rencontrer tous ensemble pour lui répéter qu'il pouvait nous faire confiance. Que nous avions la sécurité de la maison à cœur et que nous n'avions connu aucun inconvénient majeur depuis que nous vivions ensemble. Loin de le rassurer, notre intervention, cousue de bonnes intentions, le cloua sur place.

— Vous en aviez parlé entre vous avant aujourd'hui? Votre vie se passe à l'extérieur, mais la mienne, c'est ici, à l'intérieur de ces murs qu'elle s'est déroulée. Je suis né dans cette maison et je veux pas mourir ailleurs. Mon neveu Yves reviendra bientôt à Québec et c'est lui qui prendra la situation en main... C'est lui qui s'occupera de moi. Vous comprenez pas ce que c'est que de vieillir, que de perdre ses forces. Cette maison-là, c'est tout ce qui va rester après ma mort. J'ai hâte que Yves arrive pour que je me repose un peu. Je suis seul pour voir à tout. Ça ne se voit pas que je suis à bout?

Il ne nous entendait plus. Nos gestes ne le touchaient plus. Jean se demandait s'il ne fallait pas le référer à un spécialiste pour le placer dans un centre pour personnes âgées, mais rien ne fut fait, car nous avions tous nos préoccupations.

Jean était absorbé par les conflits qu'il vivait à son travail. Il arrivait souvent en retard le matin, s'en prenait à son patron et ne pensait plus qu'à donner sa démission. Selon lui, sa carrière tournait en rond. Il se sentait pris dans un cul-de-sac.

Hervé venait de rompre avec Céline. Cette relation de six mois nous était apparue comme la plus saine qu'il avait connue dans sa vie. C'était plus qu'une belle fille et pourtant, il l'a laissée. La véritable raison de sa rupture, c'est Suzanne qui devait la connaître.

Marie et Hélène avaient loué un chalet dans Charlevoix pour la saison et passaient la majeure partie de leurs fins de semaine là-bas. Avec leurs amies, elles pouvaient partager leur intérêt pour tous ces sports d'hiver qui nous laissaient totalement indifférents.

J'avais terminé ma maîtrise et malgré les promesses d'un emploi assuré que l'on m'avait faites, je n'avais décroché qu'un travail à temps partiel. Les statistiques de placement étaient catastrophiques. Je n'avais pas le choix. Tôt ou tard, je devrais quitter Québec pour travailler dans une petite ville, en région.

Au niveau des problèmes, c'est néanmoins Suzanne qui avait obtenu le premier prix des emmerdements. Au cours de l'automne précédent, ses parents étaient morts dans un accident de voiture. Elle n'était pas très proche d'eux, et pourtant, leur mort réveilla en elle des souvenirs qu'elle croyait avoir oubliés. Des années auparavant, elle avait quitté Val-d'Or en claquant la porte, des reproches plein la bouche. La paix entre eux n'était jamais revenue. Pendant deux semaines, elle s'absenta de son travail, demeura silencieuse chez elle, en compagnie de ses deux chats. Nous avons tous tenté de lui faire comprendre qu'elle avait raison d'être bouleversée, mais elle préférait s'isoler affirmant qu'il valait mieux ne pas bousculer le silence, quand on ne sait pas quoi mettre à sa place.

***

Cet hiver-là fut plus rigoureux qu'à l'ordinaire. Les tempêtes de neige se succédaient sans relâche et rendaient dangereux même les déplacements les plus simples. Encabanés chacun chez soi, l'on se retrouvait isolés les uns des autres. Malgré tout, notre sœur Gabrielle avait eu l'initiative de proposer un déjeuner pour Marie, elle et moi, dans notre appartement de la rue Saint-Olivier.

Marie terminait les crêpes, et je plaçais le dernier couvert sur la table de notre salle à manger lorsque Suzanne frappa à la fenêtre givrée de notre porte d'entrée. Gabrielle la fit entrer et eut d'abord de la difficulté à la reconnaître. Suzanne avait coupé ses cheveux très court, ses yeux étaient rouges et elle paraissait hypernerveuse au moment où elle fit son entrée dans la salle à manger.

— M. Durand, notre voisin d'à côté, vient de m'annoncer que M. Forcier est à l'hôpital. Il semble qu'il aurait fait un infarctus ce matin en sortant de l'église.

La nouvelle nous fit réagir et nous nous sommes vite demandés ce que l'on pouvait encore faire pour lui. Malgré son mauvais caractère, M. Forcier occupait une grande place dans la maison et nous l'aimions. Alors, d'un commun accord, nous avons décidé de lui envoyer des fleurs et de lui rendre visite à l'hôpital les jours suivants. C'est d'ailleurs lors de l'une de ces visites que Suzanne et Marie ont rencontré pour la première fois Yves Forcier, le neveu de M. Forcier. Il leur parut antipathique avant même que les présentations ne soient terminées. L'avenir nous confirma les impressions de départ, qui bien souvent sont plus proches de la réalité que nos bonnes intentions.

Hervé était venu se joindre à nous pour la fin du déjeuner. Il était reparti avec Suzanne, car cet après-midi-là, ils assistaient à une pièce de théâtre, à la *Bordée*. Après leur départ, nos émotions se calmèrent quelque peu et Gabrielle exprima un soulagement de se retrouver enfin seule avec nous.

Elle nous parlait rapidement de mille choses, sans vraiment aborder le sujet de sa visite. Gabrielle plaidait sa cause au rythme de sa nervosité, noyant les silences, contournant nos questions. Elle reproduisait son habitude de nier ce qui pouvait la contrarier, mais sa gêne grandissait.

Finalement, nous avons fini par comprendre qu'elle avait laissé son mari pour son amant. Elle l'aimait depuis plusieurs années mais, n'avait osé le vivre au grand jour par crainte de nous décevoir. Et ce n'était que parce qu'il en avait eu assez d'attendre après elle, qu'elle s'était finalement décidée à demander le divorce.

Gabrielle baissa les yeux. Sa bouche était entrouverte, mais rien ne sortait. Les mots ne venaient plus. C'était donc important. Pendant tout ce temps, elle avait vécu un trouble, sans jamais en parler. Je reversai du café pour l'encourager, la réconforter.

Marie recouvrit les mains de Gabrielle avec les siennes.

— Moi, je te parlais de ce que je vivais, pourquoi tu disais rien quand je t'ai annoncé que j'étais en amour avec Hélène?

— Parce que je me sentais pas prête à ce moment-là. Je n'étais pas convaincue que ça pouvait se raconter. Faut pas faire l'innocent non plus. J'ai couché avec les deux hommes pendant des années; on crie pas ça sur les toits! En plus, nous avons douze ans de différence!

— Ça ne se crie peut-être pas, mais ça peut se dire.

— Oui, je m'en doutais que ça vous prendrait moins de temps que moi pour comprendre, pour accepter. Vous en avez vu d'autres et vous êtes pas allés vous jeter en bas du pont. Je veux que vous sachiez que j'ai beaucoup pensé à vous deux pendant toutes ces années. Peut-être que j'avais l'air d'un raisin sec à vos yeux, mais pour moi, vous ajoutiez de l'oxygène dans ma bulle. Je n'ai jamais douté que vous seriez à mes côtés pour ma sortie.

Marie était touchée. Ce que Gabrielle nous disait lui faisait du bien. On s'était souvent interrogés sur l'attitude de Gabrielle. Sa grande réserve sur elle-même nous avait semblé être un détachement, un éloignement vis-à-vis de nous. Marie avait souffert plus que moi de cette distance. Les politesses trop réservées d'Alice et de Gabrielle ont souvent blessé Marie qui avait besoin d'amour. Elle avait cherché par mille façons leur appui, leur confirmation, et s'était heurtée contre des obstacles qui n'étaient pas ceux qu'elle avait d'abord cru.

— Et moi qui croyais que tu avais honte de moi parce que j'étais lesbienne!

— Je ne pouvais pas avoir honte de toi puisque tu réalisais tes rêves... Mais j'étais convaincue que tu avais compris mon cirque et que je te décevais d'être aussi moche, aussi lâche!

— On pouvait pas savoir. C'était dans ta tête, pas sur ta face.

— Pourtant Alice a tout compris depuis déjà un certain temps. Un soir que nous avions parlé de ses enfants, elle m'avait demandé si je croyais en avoir un jour. Ma réponse fut brève, froide et me révéla plus que je ne l'aurais souhaité. Alice a compris, j'en suis certaine, l'état précaire de mon couple et mon intérêt pour un homme qu'elle ne connaissait pas. Pourtant, elle n'a rien dit, rien fait. C'était comme si j'avais parlé de la pluie et du beau temps.

— Peut-être qu'elle a tout bonnement senti ton inconfort et qu'elle voulait le respecter. C'est pas facile de réveiller l'eau qui dort. Tu as fait la même chose avec Marie et nous avons fait la même chose avec toi. De toute façon, dans notre famille, particulièrement bien élevée, c'est à peine si on ose parler de soi. On veut surtout pas décevoir personne... Ne pas faire de peine. Alors, pour se remettre en question mutuellement, il ne faut pas trop espérer!

Le même soir, j'ai bien sûr tout raconté à Jean qui m'a présenté sa théorie sur le sujet :

— ... La gêne d'elle-même!

– Pourquoi aurait-elle honte d'elle-même? Nous l'avons toujours admirée!

– Justement! Ça doit pas être facile de se sentir admirée quand ce que l'on vit n'est pas ce qui est valorisé par notre société. Nous vivons à l'époque des performances, des amants, de l'argent vite gagné; ce n'est pas exactement ce dont nous parle Alice avec ses enfants, la fidélité qu'elle porte à son mari, et son bénévolat. C'est ce que j'appelle le syndrome de la majorité invisible. T'as jamais pensé qu'elle pouvait se sentir un peu « *out* » et qu'elle pouvait craindre qu'on le lui reproche?

Un peu plus tard, juste avant de me coucher, je contemplais par la fenêtre les arbres enneigés de notre jardin en songeant à Alice. J'avais besoin de me rapprocher d'elle, de mieux la connaître, et si, comme moi, elle se sentait un peu quétaine parfois, je voulais qu'elle comprenne qu'il n'y avait rien de plus quétaine que de se priver de faire quelque chose par peur d'être étiqueté comme tel.

***

Marie avait ouvert la porte du garage et terminait son café du matin sur sa galerie en attendant l'arrivée du plombier qui devait réparer son lavabo. Vue du troisième étage, la cour semblait être encore plus coquette. Les deux pommiers et les mélèzes recouvraient presque complètement la table et les quatre chaises que nous avions peinturées d'un bleu tendre au printemps. La nappe de plastique blanche, fixée aux quatre coins, ballottait doucement selon les mouvements du vent. C'est en constatant à quel point les lilas avaient poussé au cours de l'été que Marie réalisa que nous n'allions plus souvent dans notre « petit coin de paradis ». Il était pourtant plus accueillant qu'avant, mais le malaise qui persistait entre M. Forcier et nous, nous en tenait éloignés. Un peu déçue, Marie laissa parcourir dans son corps un sombre frisson. Les autres membres de la maison avaient-ils, comme elle, compris que la vie n'y était plus comme avant?

Le plombier arriva plus tard que prévu. C'était un gros homme rougeaud qui transportait une grande partie de sa vie et de ses connaissances dans son coffre à outils qu'il tenait à bout de bras. Marie lui montra la porte du tambour qui menait chez elle et chez M. Forcier, puis la remise où passaient les tuyaux. Elle se dirigeait vers l'appartement de Suzanne quand le plombier lui dit : « Mademoiselle, venez voir, il y a un homme de couché par terre dans c'te cuisine-là. » M. Forcier était mort seul dans son appartement. Isolé comme un prisonnier dans sa cellule. Solitaire comme il avait vécu sa vie. L'autopsie révéla qu'une deuxième attaque cardiaque avait eu le dessus sur lui. Entre la tristesse et les remords, nous avons convenu d'être présents lors de son service religieux, à deux heures, le samedi suivant, à l'église Saint-Jean-Baptiste.

***

De grosses gouttes de pluie se promenaient sur ses joues. Suzanne ne savait plus exactement pourquoi elle était bouleversée. Son trouble était si profond, qu'elle ne savait par quel chemin en découvrir la source. Marie, Jean et moi étions au cinéma ; alors, elle décida de sonner chez Hervé. Il l'accueillit avec empressement, mit ses vêtements à sécher, lui offrit une robe de chambre et prépara deux chocolats chauds en y versant quelques gouttes d'alcool. C'est sur le divan du salon que Suzanne lui avait dit qu'elle ne trouvait plus de sens à sa vie.

— Je ne sais pas si tu peux me comprendre, mais j'ai l'impression de n'avoir encore rien fait de bon. J'aimerais ça pouvoir tout recommencer et redevenir un enfant. Ne plus croire que je possède la vérité et réapprendre à nouveau. Savais-tu que je ne suis plus capable de dormir seule sans prendre des somnifères? Je m'ennuie tellement du temps où ma tante venait à la maison et qu'elle me racontait des histoires de p'tites filles pour m'endormir. Toi, serais-tu capable de m'en raconter une?

— Je le sais pas. J'trouve rarement les bons mots pour dire ce que je veux... Ben, tu me connais!

— Félix me dit que Jean lui raconte de belles histoires. Fais un effort. Raconte-moi une histoire... J'en ai besoin pour sortir de ma tête et retrouver un peu de calme.

— Ouin, t'es vraiment pas dans ton état normal pour me demander ça, mais je peux te prendre dans mes bras et on peut écouter mes disques.

Suzanne lui avait souri pour la première fois de la soirée. Il avait remonté des coussins le long du mur pour être plus confortable, terminé en une gorgée son chocolat chaud et passé ses bras autour de ses épaules. Elle avait posé sa tête au creux de son cou.

Et là, sans bouger, ils ont écouté les chansons s'enchaîner. Elle avait même fermé les yeux par moments. S'était concentrée sur sa respiration. Hervé arborait les traits mêmes de la fierté. Heureux de n'être que là. Et c'est à ce moment que, d'une petite voix, elle lui avait demandé :

— Est-ce que je pourrais passer la nuit avec toi? J'ai pas le goût d'être seule. En fait, j'aimerais rester près de toi... Si tu le veux bien.

Hervé ne savait que dire et il avait rougi. En guise de réponse, il alla à la salle de bain pour lui chercher des serviettes, se rendit dans sa chambre, alluma la lampe de chevet et ferma les rideaux. Elle avait enfilé son vieux pyjama. Il avait gardé son T-shirt. La nuit se passa en caresses de toutes sortes et leurs vêtements se retrouvèrent sur le sol. Au petit matin, Hervé prit son temps pour contempler le corps endormi de Suzanne. Il n'osait bouger, par crainte de la réveiller, se demandait ce qu'il pouvait rester dans le frigo pour faire un bon déjeuner et souhaitait que cette nuit ne soit pas la dernière.

***

Le neveu de M. Forcier avait emménagé dans le logement laissé vacant par son oncle. Un mois après son arrivée, il avait repeint les portes d'entrée donnant sur la rue et changé les boîtes aux lettres. Lui et sa femme, Violette, se disputaient quotidiennement. Son agressivité se retrouvait si souvent au cœur de nos discussions que je me trouvais presque chanceux de n'être à la maison que les fins de semaine. Depuis deux mois, j'avais débuté un nouvel emploi à Matane et, comme le contrat était de deux ans, j'avais loué un petit appartement là-bas et revenais voir Jean tous les vendredis soir.

Juste avant Noël, par le courrier du matin, nous avons tous reçu une lettre enregistrée pour nous informer de la prochaine augmentation de loyer. La consternation était générale. Les menus travaux qu'il avait exécutés ne justifiaient pas une telle hausse, et nous avions décidé de contester l'augmentation. Marie était solidaire avec nous, mais ne renouvellerait pas son bail. Avec les années, elle et Hélène avaient entretenu le rêve d'acheter une maison. Elles se sentaient prêtes pour le grand saut, le quotidien, et le regard des autres sur elles.

Les mois suivants passèrent lentement. Suzanne trouvait rarement le sommeil récupérateur qu'elle espérait. Qu'elle dorme chez elle ou chez Hervé, aucune cloison ne la protégeait des cris provenant de chez Yves et Violette. Pour y mettre fin, elle avait même rencontré Violette, seule à seule, pour lui proposer de l'accompagner dans un centre pour femmes en difficulté. Violette s'était montrée hostile à son offre. La maison lui appartenait en partie et elle n'avait pas l'intention de lâcher prise. Sur un ton arrogant, elle avait conclu leur entretien en disant : « Nous sommes les propriétaires de la maison, et l'année prochaine, nous voulons acquérir la maison du voisin, puis la suivante, et l'autre après... Si tout va comme on veut, nous aurons toute la rue! » Suzanne n'en avait pas cru ses oreilles : « Elle est aussi folle et ambitieuse que son mari... Tant pis pour elle! »

La fatigue aidant, Hervé réussit à convaincre Suzanne de louer un logement avec lui près des plaines d'Abraham. Ses sentiments pour Suzanne s'étaient tissés depuis longtemps en silence. De près comme de loin, il la chérissait toujours. Il nous avait attendris par sa quête incessante de l'amour. Il en avait fallu du temps pour que Suzanne comprenne, accepte, puis se détende. Comme pour Marie et Hélène, l'amour de Suzanne et de Hervé se présentait comme une seconde chance, une oasis pour tout recommencer. L'espoir flottait de nouveau dans l'air, mais c'était pour un ailleurs, loin de la rue Saint-Olivier. Le soleil du printemps et les nouvelles boîtes aux lettres brillantes ne suffisaient pas à rendre la vie d'autrefois. Les rires d'antan avaient disparu. Seul Jean était déterminé à résister aux pressions du nouveau propriétaire. « Il ne peut quand même pas faire ce qu'il veut avec nous... Je suis ici depuis si longtemps. J'aime mon logement... Puis, il y a le jardin! » Il se disait prêt à se battre et moi, à l'appuyer.

Pourtant, avec la venue de l'été, alors que Hervé, Suzanne et Marie entassaient leurs boîtes pour leur déménagement, Jean se retrouva seul, sans énergie. Il reportait au lendemain ce qu'il s'était promis de faire la journée même. Le vert tendre des nouvelles feuilles ne le charmait plus autant. Les vivaces se frayaient un chemin entre les feuilles d'automne toujours au sol. Nos fenêtres isolées pour l'hiver demeuraient fermées en permanence, laissant le doux arôme des pommiers en fleurs s'étendre aux quatre vents, mais pas chez nous. Debout près de la porte de la cuisine qui donnait sur la cour, j'ai écouté Jean qui me demandait pourquoi il devait continuer à se battre alors qu'il se sentait vide. Ne sachant quoi répondre, j'ai ouvert la grosse porte de bois et suis sorti sur la galerie pour vérifier si la vie, malgré nous, y était toujours. Jean m'y avait rejoint et espérait de moi une réponse, un sens à prendre. Alors, je lui ai dit : « C'est bien vrai qu'il est rare que quelque chose pousse sans que l'on ne l'ait semé! »

Dans la vie, lorsqu'on me demande si un jour j'ai déjà connu le bonheur, je pense immanquablement à cette journée de juin. La maison était vide. Yves et Violette Forcier étaient partis pour deux semaines en Floride. Après avoir regardé le jardin laissé à lui-même, Jean s'était rendu au marché pour acheter des annuelles. J'avais sorti une chaise longue dans le jardin pour être un peu plus près de lui. Sous les rayons du soleil, je terminais paresseusement la lecture de *LA PETITE POULE D'EAU* de Gabrielle Roy. La douceur ambiante, en contraste avec les rafales de neige du roman, me procurait un bien-être inattendu. Malgré ses interrogations du matin, une nouvelle harmonie s'installait autour de Jean. Dans son grand T-shirt jaune, il disposait sur le terrain les boîtes de fleurs qu'il venait d'acheter. À son insu, je l'observais. Il était plus que beau. Les mains sales, il chantait de vieilles chansons d'Édith Piaf, replaçait du revers de la main ses lunettes qui lui glissaient sur le nez. Il plantait, raclait le sol, s'arrêtait par moments pour vérifier son travail, puis recommençait. Une nouvelle vie circulait dans ses veines, et parce que j'en connaissais un peu la cause, j'étais fier de lui.

Pendant quelques secondes, son charme me serra le cœur. Je le voyais comme pour la première fois et je souhaitais le connaître de toutes mes forces. Mon désir pour lui prenait toute la place. Alors, je l'ai contemplé et je l'ai regardé de plus près; j'ai reconnu sa nuque, sa barbe forte, ses cuisses de cheval, sa façon de remonter ses lunettes avec son avant-bras, et j'ai compris que c'était mon Jean. Le vide que j'avais ressenti se transforma en bonheur et je me suis demandé comment Jean pouvait encore, après tant d'années d'amour, me bouleverser, me virer à l'envers, simplement parce qu'il était là. Conscient du privilège de partager son intimité, je suis resté là sans rien dire. Il me souriait à l'occasion. Ce soir-là, nous avons mangé dehors. Le vin fit le reste.

Trois semaines plus tard, l'on se retrouvait en Gaspésie pour nos vacances annuelles dans sa famille. Elles étaient bien méritées. La fête était toujours au rendez-vous lorsque Jean, Cécile et René se retrouvaient. Depuis le décès de M. Forcier, je savais que Jean avait souffert encore plus qu'auparavant de leur éloignement. Ils étaient pour lui un réconfort qui ne pouvait se trouver ailleurs. Sur un bateau de pêche, lorsqu'une baleine passa près de nous, Jean m'enseigna le langage de la nature. « Écoute le son des vagues sur la coque, il te dira ce que veut la mer... Le vent nous informe de ce qui arrivera... Quand le poisson saute ainsi hors de l'eau, c'est qu'il est prêt pour la saison des amours... » Tout comme moi, Cécile et René l'écoutaient, amusés de constater que le p'tit gars de la Gaspésie n'avait rien oublié de ce que lui avaient appris son père, ses oncles et tous ces gens qu'il avait jadis admirés.

C'est le nez relevé pour mieux saisir l'air du temps que nous avons pris la route de retour vers Québec. En entrant dans le faubourg Saint-Jean-Baptiste, la voiture roulait lentement et l'étroitesse des rues nous semblait encore plus évidente qu'autrefois. Peu de gens circulaient. Les maisons et les trottoirs envahissaient tout, ne laissant plus de place aux herbes folles, aux gazons verts, aux arbres poussés n'importe où. En sortant les bagages de la voiture, Jean ne put s'empêcher d'établir certains parallèles entre notre quartier et un champ de bataille, juste avant la grande attaque. Prémonition ou intuition? Même des années plus tard, je ne saurai comment l'expliquer. Quoi qu'il en soit, c'est dans cet état d'esprit que nous sommes entrés dans notre appartement.

J'étais toujours dans l'entrée, occupé à trier le courrier, quand j'ai entendu Jean pousser le cri le plus triste que je n'avais jamais entendu. Je l'ai retrouvé debout dans la cuisine, les bras ouverts bien haut, les deux mains placées sur les rebords de la fenêtre, le front appuyé contre la vitre. Ses yeux fixaient ce que je ne voyais pas encore, mais une teinte grise se reflétait sur nos panneaux d'armoires jaunes, c'est alors que j'ai entrevu l'impensable. À sa hauteur, par dessus son épaule, j'ai ressenti, moi aussi, la haine, la trahison, la souffrance d'une violation. Les pommiers n'existaient plus, les ormes et les mélèzes avaient disparu, les fleurs s'étaient volatilisées, le lierre arraché et, là où s'étendait le tapis de gazon, un asphalte noir recouvrait le sol, d'un mur à l'autre. La rage au cœur, Jean s'était précipité chez les Forcier, mais leur appartement était vide. La colère qui se lisait sur le visage de Jean n'avait pas de mots pour se traduire. Les Forcier avaient tué la vie. Tant d'années d'efforts foudroyées en si peu de temps, ça ne s'expliquait pas.

Sur la galerie du troisième étage, nous étions là, ne sachant quoi faire. De notre passé, il ne restait plus que les murs bleu-gris, que nous avions peints la première année. Jean ne se sentait plus le goût de s'approcher à nouveau du terrain devenu maudit et moi, je voulais quitter au plus vite cette galerie du troisième étage où nous n'étions plus les bienvenus. Toujours sous le choc, le corps plein de rage, Jean se mit à monter l'échelle de fer forgé, le long du mur qui menait sur le toit. Quelques secondes plus tard, c'est debout sur la gravelle du toit que je l'ai retrouvé. Il regardait la ville tout autour de nous, le quartier de la basse-ville qui s'étendait à nos pieds, le bassin Louise qui se déversait dans le fleuve et lui, le Saint-Laurent, qui s'étirait jusqu'à l'île d'Orléans. Après plusieurs heures sur le toit, la beauté et la grandeur de l'espace eurent raison de nous. On le savait déjà, nous allions résilier notre bail et refaire notre vie ailleurs. Vue du toit, la petite cour recouverte d'asphalte nous semblait bien minuscule.

Nous avons regardé le soleil se coucher jusqu'à la fin. Il y avait du rouge, de l'orangé et des rayons dorés. Avant de redescendre, Jean me fixa dans les yeux et m'avisa que plus jamais il ne devrait monter sur le toit de son immeuble pour pouvoir contempler un coucher de soleil. Nous avons jeté un dernier coup d'œil circulaire sur le paysage, un grand navire quittait le Vieux-Port, la journée se terminait, et une des plus belles parties de notre vie prenait fin.

– 9 –

Nous ne sommes qu'un projet largué dans le temps
– 1988 –

— ... Pauvre vous, votre fille Gabrielle a laissé son si gentil mari pour s'amouracher d'un homme qui a douze ans de plus vieux qu'elle. Pauvre petite fille, elle cherche son père, c'est sûr! Puis votre Félix, votre dessert, votre seul fils, c'est donc triste de penser qu'il est impuissant. Ça, c'est sans compter votre Marie qui vit maintenant avec une femme. C'est sûr, elle, c'est sa mère qu'elle cherche! Une chance que vous avez votre Alice, ça vous en fait au moins une de normale...

— Vous savez, c'est pas exactement comme ça... Ne vous attristez pas!

Lorsque la porte de la chambre fut complètement ouverte, la conversation s'interrompit sur-le-champ. Les yeux de ma mère et de son amie, Mme Marier, me dévisageaient avec inquiétude. Nous avons échangé des banalités. Après peu de temps, comme d'habitude, Mme Marier entama sa sortie. Elle chuchota quelques mots à l'oreille de ma mère, l'embrassa et me redit, tristement : « Fais attention à ta mère... Elle t'aime tellement. Elle donnerait sa vie pour toi... » Ma mère était à l'hôpital depuis près de cinq mois, le cancer la rongeait. Le mal prenait sa place, lui enlevait ce qu'elle avait toujours été et nous laissait une pauvre petite vieille dépourvue, inquiète, entre nos mains maladroites. Conscients que la mort approchait à grands pas, nous en profitions pour nous regarder dans les yeux, nous toucher, nous redire l'amour que nous éprouvions l'un pour l'autre. Elle me faisait part de sa peur de souffrir, de mourir seule, de ne pas avoir fait une « bonne vie »; je la réconfortais comme je le pouvais. En ces moments-là, elle avait besoin de moi et c'est tout ce qui comptait! Pour elle, j'étais devenu encore plus rationnel, plus rassurant. La peine, la tristesse ne viendraient que par la suite, quand j'aurais le temps de l'assimiler.

— Qu'est-ce que je fais encore ici, avec une sonde entre les jambes? Pourquoi je ne suis pas partie, comme ton grand-père, dans mon sommeil?

— Grand-père n'était pas très démonstratif et il avait l'habitude d'acheter ses cadeaux à la dernière minute. Ce n'est pas vraiment ton genre. Aurais-tu été capable de partir sans nous redire ton affection? N'oublie pas que tu es le genre à acheter tes cadeaux de Noël au mois d'août. On meurt comme on a vécu.

— Tu crois vraiment ça... Ça me fait peur. Je n'ai pas toujours été parfaite, j'aurais pu être une meilleure mère.

— Écoute-moi bien. On fait la courtepointe que l'on peut, avec les bouts de tissus que l'on a. Je ne suis pas le fils parfait moi non plus. On est comme on est. L'important, c'est de sentir l'honnêteté des sentiments, l'intention de l'autre.

— Pourquoi est-ce que je ne suis pas partie au moment où j'étais forte? Je voulais tellement être un bon modèle pour vous autres. Maintenant, je doute de tout, de moi, de mes valeurs. Je ne trouve plus de sens à cette souffrance. Je perds mon calme et j'ai l'impression que le Seigneur m'a abandonnée.

Depuis plus de quinze ans, la foi de ma mère était notre plus gros conflit. Sa « drogue », comme je le lui avais déjà dit, l'empêchait de rire, d'être un être sexué qui prend la vie avec les plaisirs qu'elle offre plutôt que de la passer à éviter les tentations. Plus elle s'approchait de la religion et plus elle s'éloignait de la réalité. Oui, j'avais déjà pensé que, sur certains aspects de sa vie, ma mère ne s'était que très peu réalisée. Pourtant, à la voir dans cet état, j'étais convaincu que le temps de juger était terminé. Sa « béquille » l'avait peut-être freinée de son vivant, mais face à la mort, je voulais qu'elle lui serve pour que le passage s'effectue en douceur. Avec tous les lampions qu'elle avait fait brûler dans sa vie, elle le méritait bien!

— Te souviens-tu, lorsque tu étais enfant, tu devais avoir sept ans, je te parlais du Seigneur, de l'incroyable chance que nous avions de ne pas être des païens puisque nous possédions la vérité. Tu m'avais demandé alors ce qui allait arriver aux petits Chinois qui étaient gentils mais qui ne connaissaient pas Notre Seigneur. Et je t'avais répondu qu'il y avait le purgatoire pour eux. Tu étais devenu tout triste et m'avais dit que ce n'était pas juste. Aujourd'hui, dans ce lit d'hôpital, avec ces tubes et ces médicaments de toutes sortes, je suis passive et j'ai le temps de penser. Les questions naïves de mes enfants me rattrapent, me parlent d'injustice. Ta grand-mère me disait souvent que la vérité sortait de la bouche des enfants et que je devais les écouter, est-ce que je l'ai fait? J'ai tellement voulu être un modèle pour vous que j'ai peut-être répondu trop rapidement à certaines questions... On regarde le fleuve dans son lit et, comme lui, on pense qu'on sera là pour toujours. Puis un matin...

— Tu n'as rien fait d'autre que de continuer ce que tes parents t'ont enseigné. Tu es chanceuse, ils sont tout près. Tu seras bientôt dans leurs bras. Détends-toi. De penser que tu as mal fait, c'est leur laisser croire qu'eux aussi ils se seraient trompés. Ce n'est pas ce que tu penses, alors prépare-toi à les revoir. Et ne t'inquiète pas pour nous, ce que tu as semé en nous va continuer de pousser. On n'arrête pas un cœur d'aimer. Tes parents sont toujours en toi et tu seras toujours en nous. Plus besoin de nous téléphoner, de nous écrire, tu seras avec nous. Pense à tout ce que tu voulais savoir de nos vies et que tu connaîtras sans avoir à nous le demander. (Malgré elle, un petit sourire apparut sur ses lèvres minces.) Dans mon cœur, il y a une maison et, dans cette maison, il y a une chambre. Elle est orientée côté soleil, les rideaux sont en dentelle, le lit est moelleux, des fleurs des champs embaument toute la pièce, on s'y sent très bien. Cette chambre-là, elle est pour toi, juste pour toi.

Merci d'être là... J'en oubliais que nous ne sommes, finalement, qu'un projet largué dans le temps.

***

Sept jours plus tard, à sa demande, je contacterai un prêtre pour qu'il lui donne les derniers sacrements. Elle sera confuse, semi-comateuse. Le prêtre, qui a l'habitude des mourants, lui parlera fort, la touchera presque brutalement. Mon malaise sera grand, alors je sortirai de la chambre pour leur laisser un peu d'intimité. Mais, avant que la porte ne se referme complètement, j'entendrai le prêtre lui dire : « Vous êtes une bonne catholique... », et ma mère ne dira rien. Puis il continuera : « Je vous connais, votre vie est exemplaire et vous avez de bons enfants... » Et ma mère, déjà presque loin de tout, se concentrera pour répéter après lui : « Oui, j'ai des bons enfants, des bons enfants. »

Après ces longs mois d'agonie, comme il sera bon qu'elle nous confirme à son tour son affection. Ce seront ses dernières paroles. Son testament. Notre héritage. Nous en serons fiers et conscients d'avoir eu plus que quiconque le droit d'exister.

L'année suivante, mon père décidera de jeter l'ancre pour toujours. Deux jours après son décès, lorsque nous découvrirons sa dépouille dans la grande maison vide près du fleuve, c'est là seulement que nous comprendrons que le vieux paquebot prenait l'eau, que sa cale était fendue et qu'il avait sombré sans faire de remous. Sans tempête. Solitaire, mais avec, à son bord, plus d'équipage qu'il ne l'avait espéré. Ce trente et un juillet-là, il y aura quatre enfants adultes qui se tiendront par la main, sur la grève, stationnaires, en regardant le fleuve comme si c'était pour la dernière fois. Quelque chose en nous aura sombré avec lui. L'on se serrera la main encore plus fort qu'auparavant.

– 10 –
Alice reçoit un cadeau
– 1991 –

Le soleil pointait doucement sur le fleuve. Les vagues se succédaient sans relâche et déferlaient dans la petite baie au pied de la falaise. À son sommet, la grande maison de pierre profitait des plus beaux avantages que réservait l'île d'Orléans à ses insulaires : la nature généreuse baignée par le soleil et, en silhouette sur l'autre rive, la ville de Québec et son château Frontenac. À demi conscient, Alice se retourna dans son lit pour vérifier l'heure indiquée par le cadran posé sur sa table de chevet. D'une main habile, elle mit l'alarme hors d'usage. Il lui restait encore dix minutes de repos bien mérité, dans le confort de ses draps blancs. Étendue sur le dos, elle s'amusait à respirer profondément pour mieux s'approprier toutes les odeurs connues autour d'elle. Charles dormait à ses côtés. Dans le ciel, les goélands déployaient leurs ailes blanches en poussant leurs cris matinaux. Pour elle seule, Alice s'imaginait leur trajectoire et revoyait en pensée leur envolée au-dessus du long toit de bardeaux de sa maison. Afin de mieux ressentir l'euphorie de leur liberté, Alice ferma les yeux et, guidée par leurs cris, tournoya elle aussi dans le ciel au-dessus de chez elle.

Les lucarnes alignées, les murs de pierre où grimpait le lierre, le jardin, le long parterre qui s'étirait jusqu'à la rangée d'ormes, tout lui apparaissait aussi parfaitement que dans la réalité. Comme l'on admire d'abord un temple de l'extérieur, elle fit plusieurs fois le tour de sa demeure avant de se laisser inviter par la porte à moustiquaire de sa cuisine. Là, elle le savait, chaque chose serait à sa place pour le déjeuner du matin qu'elle partagerait avec sa famille, avant de se retrouver seule avec son cadeau qui l'attendait dans le tiroir de gauche du bahut de la salle à manger.

***

De nouveau la maison avait retrouvé son calme habituel. Charles et les enfants, qui étaient devenus grands, étaient partis pour une journée de pêche à la campagne. Alice avait préféré demeurer seule à la maison, jusqu'à leur retour en fin de soirée. Dans la salle à manger, face aux deux grandes fenêtres qui donnent sur le fleuve, elle avait placé sa vieille chaise berçante. Près d'elle, sur la table, sa théière était pleine de thé anglais. Elle s'en versa une tasse. Du salon, le tic-tac de l'horloge grand-père se faisait entendre. Il était dix heures.

Sans musique ni aucune autre distraction, elle appréciait la paix ambiante, en caressant sous ses doigts le livre à couverture verte qu'elle avait retiré du bahut et posé sur ses cuisses. Elle le connaissait déjà, ce livre de papier de qualité, sans lignes. Il avait le format, la texture et l'odeur qui lui inspirait le respect et lui procurait le goût de lire.

Doucement, elle glissa une de ses mains sous la couverture et l'ouvrit. La reliure ne fit aucun son. Certaines bordures de page montraient l'usure du temps. De toute évidence, il avait été manipulé avec soin. Entre ses doigts, Alice fit tourner les pages et ne put s'empêcher de songer aux longues heures de confidences qu'elles contenaient. Sans appréhension, elle revint à la première page et débuta ce qu'elle s'était promis de faire toute la journée.

5 septembre 1989

Si je me retrouve de nouveau à Vancouver, c'est principalement dû aux encouragements de Jean et de Mario. Probablement plus que moi, ils ont cru que je pouvais décrocher l'emploi dont je rêvais. De nos jours, ce genre de poste, surtout permanent, se fait si rare que ça me semble incroyable. Je veux profiter de cette chance pour vivre tout ce qui m'était jusqu'ici impossible.

Approfondir mes techniques d'intervention. Établir des réseaux parallèles et naturels d'entraide. J'y consacrerai tous mes efforts s'il le faut, mais je me donne deux ans pour parvenir à ce que le Centre soit constitué d'une structure interne où les parties seront spécialisées et coordonnées et non plus des services isolés. Je serais très fier de moi si le plan d'intervention sociale que je leur ai présenté lors de mon entrevue de sélection s'implantait comme je l'ai prévu.

Il est temps de m'intégrer réellement à la culture canadienne anglaise. Ce n'est plus seulement une question d'approfondir les subtilités de la langue, mais surtout d'y découvrir de nouvelles valeurs, basées sur des racines qui me sont en partie inconnues. C'est l'occasion parfaite pour me faire de nouveaux contacts et vivre de l'intérieur l'expérience du choc culturel.

Je m'ennuie énormément de mon père. Il y a à peine deux mois qu'il est mort et ses conseils me manquent déjà. L'idéal, ce serait que je rencontre un vieux monsieur anglophone avec qui je pourrais discuter de temps en temps. Les personnes âgées ont une influence sur moi, qu'aucun autre groupe d'âge ne peut me procurer. Ils aiment parler de leur passé et moi, les écouter. De toute façon, qui se souvient le mieux de ses racines, si ce n'est une personne âgée?

D'ici un an ou deux, je veux suivre des cours de chinois et me faire au moins un ami asiatique. Le jour où quelqu'un pourra comprendre, sans traduction, la signification de mon tatouage, j'aurai un petit velours au cœur.

Jean, sa sœur Cécile et Alice m'ont suggéré d'entretenir avec eux une correspondance régulière. Ce n'est pas dans mes habitudes, mais l'idée ne me déplaît pas. Surtout qu'Alice a particulièrement piqué ma curiosité le jour où je l'ai informée de mon projet d'aller vivre à Vancouver. Par des mouvements discrets de la tête, un sourire tendre et des silences respectueux, elle m'a communiqué son affection, son approbation. Sans tapage, j'ai ressenti que son appui m'était donné. Comme Jean, Alice a compris que j'étais devenu un bien grand navire sur un trop petit lac, que j'étais déjà passé trop de fois par les mêmes sillons, et que ma vie commençait à tourner en rond.

En douce, alors que sa cuisine baignait dans la lumière de fin d'après-midi, Alice m'a donné ce journal intime à couverture rigide verte. Sur un bout de papier cuve qu'elle avait glissé à l'intérieur, elle avait inscrit : « *Le temps est venu pour toi de découvrir de nouveaux horizons; prends note de tes rêves, de tes espoirs, ils t'aideront à comprendre ce qui est bon ou mauvais pour toi. »*

Avant de la quitter, avec réserve elle m'a demandé si je lui donnerais de mes nouvelles. Plutôt que de lui répondre banalement « *oui* », je lui ai répondu par une question : « *Dans la nuit, même la sirène d'un bateau a besoin d'entendre parfois une réception, un écho, une réponse à son cri. Toi, me répondrais-tu?* » D'une voix sincère, elle m'a répondu : « *Oui, régulièrement.* » Sa réponse m'a quelque peu surpris. Son « *régulièrement* » résonnait toujours dans ma tête lorsque je suis parti de chez elle et qu'elle m'envoyait la main de la galerie de sa maison. Je crois lui avoir dit que je serais heureux de la lire; j'aurais dû tout bonnement lui avouer que je serais fier de recevoir des lettres d'elle.

Alice m'a probablement acheté ce livre en blanc, en songeant aux longs mois de solitude et de labeur qui m'attendaient. Je voulais changer l'Atlantique pour le Pacifique, c'est fait! Il ne me reste plus qu'à vivre avec mes choix!

13 septembre 1989

Ce matin, j'ai téléphoné à Jean pour lui transmettre ma nouvelle adresse. On avait l'habitude de remplacer, à l'occasion, nos mots tendres par des chiffres; dans certains contextes, ce fut vraiment pratique! On se basait souvent sur le nombre de lettres. Le 8 pour « *je t'adore* », le 7 pour « *je t'aime* »... Ainsi, j'étais convaincu de le rendre heureux en lui annonçant que je venais de louer un condo dont le numéro d'appartement était le 707, mais il a simplement répété après moi les chiffres en les épelant : « 7, S, A, N, S, 7 ».

C'est vrai que je ne suis pas à Vancouver pour seulement trois ou quatre mois, mais est-ce qu'on doit tout remettre en question pour autant? De toute façon, on ne peut vivre qu'un jour à la fois et c'est prévu que l'on doit se rejoindre à Toronto pour le temps des Fêtes. D'ici là, il n'y a pas de problème pour moi, mais je sens que Jean s'inquiète et que, ses craintes lui gâchent une partie de ses journées. Il devrait comprendre que nous remontons de loin, que notre histoire n'est pas celle de Pygmalion ou de Don Juan, et que sans notre ténacité, notre détermination à vouloir ce qu'il y a de mieux pour l'autre, nous ne serions pas ce que nous sommes maintenant.

Ses tentatives maladroites pour terminer ce qu'il commence me troublent. Je chavire lorsque je le sens chercher ses mots pour nuancer, préciser son idée. À deux, nous trouvons notre équilibre. Jean me rapproche du moment présent; je le sensibilise au futur.

À chacun de nos appels, Jean m'exprime son ennui, mais me parle aussi d'un retour possible à l'université, d'une sortie avec sa famille... Çà et là, je perçois que ma « naïveté » a semé un peu d'espoir en lui. Tout comme moi, il est plus audacieux qu'autrefois. Onze années d'amour ne peuvent que laisser leur trace! Je peux reconnaître son influence sur moi et la mienne sur lui. Ne former plus qu'UN, ça doit ressembler à quelque chose comme ça.

Nous avons deux têtes dures, mais nous avons finalement relevé le défi de nous convaincre de l'honnêteté de nos sentiments. Que, oui, quelqu'un pouvait nous aimer réellement et qu'on pouvait avoir confiance et s'abandonner à l'autre. Ce qui est par-dessus tout agréable, c'est que nous avons mutuellement appris à nous voir, un peu, avec l'admiration de l'autre; je dois reconnaître que je ne connais pas de meilleur baume au monde. On peut rigoler de ses manies, de mes yeux cernés, tout en sachant très bien que nos vieilles craintes s'envolent devant l'effet de charme qu'elles exercent sur l'autre. Comme il est bon d'être fiers de ce pourquoi nous avions honte.

Je ne crois pas que mon retour à Québec soit nécessaire avant deux ans. Nous n'en sommes pas à notre première séparation causée par la distance et nous ne sommes plus les petits amoureux insécures que nous étions. Un amour sans défis mérite-t-il d'être vécu? Si en janvier, nous réalisons que l'épreuve est trop difficile pour nous, à ce moment-là alors, je remettrai en question ma décision de demeurer à Vancouver.

27 septembre 1989

Ce matin, une dizaine de personnes m'attendaient dans la salle du conseil. Le grand patron, James White, un homme barbu au regard bleu clair, m'a présenté aux autres membres de l'équipe. Mes nouveaux collègues me dévisageaient, m'analysaient avec peu de retenue, tout en me souhaitant la bienvenue. J'avais davantage l'impression de passer par l'étape de l'inspection aux douanes d'un aéroport que d'assister à ma première réunion officielle.

Jim, comme il aime qu'on le nomme, s'est amusé de la présentation qu'il a faite de chacun des membres du conseil. Une suite de rires et de petites blagues accompagnait chacune de ses paroles. Jim cherchait à se montrer aimable et exprimait clairement qu'il était fier de m'accueillir au sein de son équipe de travail. Assis bien droit sur ma chaise, je me suis concentré sur ses paroles pour retenir le maximum d'informations sur l'équipe. À mes yeux, nous avons tous l'allure de bouteilles jetées à la mer : un peu fébriles, mais pleins d'espoir, de bonne volonté! En choisissant les membres de son personnel, Jim semble vouloir créer un univers où la terre entière ne serait qu'un grand jardin où chaque nationalité constitue une variété différente de fleurs. Dans cette optique, mes nouveaux collègues m'apparaissaient avoir été sélectionnés pour s'amalgamer aux diverses clientèles que dessert le Centre. Grosso modo, j'ai retenu qu'il y avait deux Asiatiques d'origine, un Indien, un Latino d'Amérique du Sud et, pour le reste, une majorité d'anglophones de l'Ouest canadien. Le fait que je sois un canadien francophone peut avoir joué en ma faveur. Grâce à mon embauche, le Centre peut maintenant se vanter de posséder une saveur française à l'intérieur de ses murs. Être le seul francophone de la place peut contribuer à me distinguer, me démarquer des autres ou m'isoler; l'avenir me dira de quel côté le couteau à deux tranchants sera le plus coupant. Quoi qu'il en soit, pour l'instant, tout baigne dans l'huile. Pour l'heure du dîner, je me suis retrouvé dans un restaurant avec les trois personnes qui me semblent être les plus agréables à côtoyer de tout le Centre : Jim, Juliette et Seth.

Jim, le directeur officiel du Centre, démontre des qualités humaines rarement rencontrées chez un administrateur. Du haut de ses six pieds trois pouces, sa vie nous apparaît sereine. Il a confiance en lui, dans ses choix et, par ricochet, en nous. Son sens de l'humour, parfois grivois, en étonne plusieurs, mais ça ne l'arrête pas pour autant. Son dynamisme le caractérise de tous les patrons que j'ai connus jusqu'ici. Il sait qu'il possède un charme naturel et, en s'en servant, il crée autour de lui le climat de confiance qu'il faut pour obtenir la collaboration. Spontanément, il nous donne le goût de le suivre.

En contraste, Juliette possède un charme certain, mais discret. Elle doit avoir approximativement le même âge que moi. Pendant le dîner, son attention s'est portée sur tout ce qui l'entourait et elle s'est amusée à prononcer quelques mots en français. Délicate et sensible, sans l'être trop, elle est la seule qui, pendant le repas, osa diriger la discussion sur ma vie privée, ma famille, mes projets. Son intérêt pour moi m'apparaît réel et sans sous-entendus. Elle est perspicace : je n'aurai probablement jamais à lui mettre les points sur les « i ».

Pour ce qui est de Seth, il en va bien autrement. Il était assis dans le seul rayon de soleil que laissaient passer les lourds rideaux de velours rouges du restaurant et il n'a presque rien dit pendant le repas. Il s'est contenté d'écouter et de rire aux bons moments. Il donne l'impression de vouloir être parfait, sous contrôle, mais sa façon d'être met un froid, une distance entre lui et le reste du monde. Je crois même que Juliette l'a embarrassé en l'interrogeant sur sa famille, car il n'a pas répondu à sa question. La « perfection incarnée » cacherait-elle un mystère? Quoi qu'il en soit, c'est vraiment le plus beau gars qu'il m'ait été donné de rencontrer à Vancouver. J'aimerais bien un jour prendre une photo de lui pour l'envoyer à Jean.

Seth ne ressemble pas aux sculptures italiennes que Jean adore et, pourtant, quelque chose en lui les évoque. Peut-être cette impression de perfection, d'inaltérable, qui dépasse le temps et transcende les cultures? Je suis persuadé que, partout sur la planète, les gens le trouveraient beau, d'une façon classique, mais non accessible.

Seth travaille comme administrateur au Centre et je l'imagine très bien en train de passer ses soirées au bureau devant son ordinateur. Ce n'est visiblement pas le genre de gars qui se mêle aux autres et sa compagnie au restaurant a, de toute évidence, surpris Juliette et Jim. Une chance qu'ils étaient là!

12 octobre 1989

Aujourd'hui, j'ai invité Jim à dîner avec la ferme intention de lui annoncer mon homosexualité. Il s'est mis à rire de moi dès que j'ai ouvert la bouche. Lors de mon entrevue de sélection, j'avais utilisé des mots si vagues pour parler de ma « relation », qu'il avait tout de suite compris. Conformément à ses convictions, Jim avait pressenti que, parce que j'étais heureux d'être ce que je suis, je pourrais ainsi aider les autres personnes concernées à s'aimer elles-mêmes. Sa confiance m'a touché, alors je lui ai parlé de Jean. Pareil à un adolescent à qui l'on aurait fait la promesse d'assister à un concert rock, Jim fut excité pendant tout le reste du repas et me posa plein de questions.

Comme je l'ai dit tout à l'heure à Jean au téléphone, c'est la première fois que j'entends parler que l'homo-sexualité peut être un point favorable pour décrocher un emploi!

24 octobre 1989

Jean était contrarié ce soir au téléphone. Que je lui parle de mon logement, de la vue que j'ai sur la baie ou de mon travail, rien ne semblait lui plaire. Il me dit que je ne réagis pas comme d'habitude et que mon enthousiasme lui fait peur. Je lui dis que je m'adapte et il me répond que je m'incruste. Il ne comprend pas que je fais aussi ces efforts-là pour lui. Pour qu'il soit fier de moi, de nous, et que je serai comblé au printemps lorsqu'il viendra me visiter. Dans moins de deux mois, nous serons ensemble à Toronto pour les Fêtes, mais ça ne semble pas le réjouir. Je lui suggère de faire comme moi et de compter les jours, mais il n'en fait rien. Il songe au printemps prochain, aux années suivantes, et se demande quand je reviendrai à Québec. C'est pourtant le genre de question qu'il aurait dû se poser avant de m'encourager à venir ici.

Pourquoi faut-il toujours que la soupe, qu'il a lui-même préparée, soit dans son assiette pour qu'il réalise qu'elle est trop salée? Son manque de confiance lui enlève sa joie de vivre, mais ne m'arrêtera pas de l'aimer.

Je ne suis peut-être pas très représentatif de mon époque, car je n'aime pas perdre mon énergie à tout remettre en question. Quand Jean comprendra-t-il qu'il se fait du mal à douter de nous? Dans mon cœur, je sais que je l'aimerai toujours et qu'il est l'être le plus important que je connaisse. Néanmoins, ça ne l'apaise plus autant qu'avant quand je le lui dis.

Pour quelles raisons notre histoire d'amour serait-elle semblable à celles dont me parle Jean?

10 novembre 1989

Alice m'a abonné à la revue L'*Actualité* et c'est le deuxième disque compact qu'elle m'envoie du Québec. Elle n'a vraiment pas l'intention que je perde mes racines latines! En contrepartie, je lui achète des compacts de musique classique, lui écris ce qui se passe de mon côté avec l'aménagement de mon logement, et l'informe des nouvelles connaissances que je fais. Ses lettres me parlent de sa famille, elle me met au courant des dernières nouvelles, des souvenirs qu'elle garde précieusement, puis elle termine en disant qu'elle va bien et qu'elle pense à moi. En soi, ça n'a rien d'extraordinaire, cependant ça me fait du bien. Son style d'écriture lui est propre. Elle s'applique et pèse ses mots. Alice se souvient que, bien avant ses propres enfants, notre mère s'est approchée, elle aussi, en sourdine pour l'écouter jouer du piano. Notre mère souriait aux anges derrière ses paupières closes, lorsque « sa grande », par une envolée légère, faisait danser les notes pour elle. L'existence d'Alice ne sera jamais pauvre puisqu'elle possède la capacité de se remémorer son passé. Par des mots simples, elle me donne l'assurance qu'elle aime les siens et qu'elle apprécie la vie qu'elle a. Ce n'est pas évident de nos jours! Si Jean, Cécile, mes copains de collège et d'université étaient capables de faire la même chose, je me sentirais assurément moins seul et plus heureux.

24 novembre 1989

Les paroles de Jean me trottent dans la tête. Lors de son dernier appel, il était atterré par la mise à pied d'un de ses collègues de travail. Tout le personnel de son bureau était au courant de la situation, pourtant rien ne fut organisé pour souligner son départ. Sans que je ne comprenne pourquoi, Jean a prononcé lentement : « *Finalement, on est plus performant que miséricordieux.* » J'étais d'accord avec lui et, croyant renchérir sa pensée, j'ai enchaîné la discussion sur la nature humaine parfois si égoïste. Il me laissa parler, mais plus mes paroles s'allongeaient et moins il les écoutait. Au bout du compte, il me dit qu'il ne m'avait pas parlé d'égoïsme, mais bien de performance et de miséricorde. Je me demande encore si c'est moi qu'il visait en parlant ainsi.

Se sent-il abandonné, trahi? L'ai-je déçu? Sa nouvelle résignation face à la vie m'inquiète. Qu'aurais-je dû comprendre par moi-même avant d'acheter mon billet d'avion pour Vancouver? Je ne lui ai jamais proposé que l'on s'installe ensemble à Vancouver. Je le connais, il aurait refusé de partir avec moi de toute façon.

16 décembre 1989

Sans l'appui de Seth, le projet que Juliette et moi avons présenté ce matin à Jim aurait été refusé. Le programme d'intervention était simple, mais demandait d'être efficace à peu de frais. Notre territoire comprend une population où 22% des gens sont déclarés analphabètes. Avec l'aide d'une équipe de bénévoles, nous voulons leur rendre visite à domicile pour les informer de nos services et les sortir de leur isolement.

Pour fêter l'acceptation de notre projet, nous sommes retournés tous les quatre manger au même restaurant que la première fois. Depuis ce temps-là, ma perception d'eux a bien changé. Je sais que Juliette est née aux États-Unis. Qu'elle est venue à Vancouver parce que son mari y avait trouvé un emploi et qu'après leur divorce elle avait choisi de demeurer ici. Contrairement au reste du personnel, elle aime que je lui apprenne de nouveaux mots en français et n'y voit aucune obligation. Pour elle, le français n'est pas une contrainte mais davantage un exotisme. Elle veut que sa vie soit une salade de fruits et ne voit pas pourquoi elle dirait non quand elle désire dire oui. Un soir de pluie où l'on marchait dans le parc Stanley, en toute confidence elle m'avait raconté comment, juste parce qu'elle en avait envie, elle était entrée dans le bureau de Jim, avait verrouillé la porte derrière elle et s'était assise sur lui pour mieux l'embrasser. Jim n'avait émis aucune résistance et, depuis ce temps, ils avaient pris l'habitude de multiplier leurs échanges de « services ». Pour sa part, je l'ai bien compris, Jim ne sait comment dire non quand il pense oui. Comme l'aurait dit M. Forcier : « *À l'eux deux, ils font une belle paire de moineaux.* »

Seth demeure toujours aussi réservé, mais je le sais fondamentalement bon. Juliette m'a informé qu'il est juif et qu'il est absolument impossible de savoir s'il est hétéro ou homosexuel. « The only things that turn him on are his computer and his electronic agenda.* ». Malgré sa beauté, Seth n'attire l'intérêt de personne au bureau, il passe pour ainsi dire inaperçu; pourtant, son point de vue mérite d'être écouté. Il parle très peu, mais ce qu'il dit est toujours réfléchi et juste. Je pense de plus en plus qu'il est simplement méconnu, un élément de base trop discret que l'on oublie sans difficulté.

* « Les seules choses qui le font réagir sont son ordinateur et son agenda électronique ».

132

J'aimerais le connaître mieux, tel qu'il est réellement, mais pour ça, il faudrait qu'il ouvre la bouche plus souvent! C'est rendu que je le trouve plus mystérieux que réservé, mais je ne pourrais me l'expliquer. Quoi qu'il en soit, je suis content d'avoir obtenu son appui aujourd'hui!

20 décembre 1989

Demain, je prends l'avion pour Toronto. Jean y est déjà depuis ce matin. Sans vraiment comprendre ce qui me dérange, je dois reconnaître que je redoute le moment de le rencontrer. Après chacun de ses appels, je me sens de plus en plus coupable de le décevoir. Comme avant, je n'ai plus simplement le loisir de l'aimer; une obligation s'est glissée entre nous, je dois maintenant lui prouver que je l'aime. Cette nouvelle dimension change nos rapports, mon élan vers lui. Lorsque je le prendrai dans mes bras, j'espère que mon désir de le rassurer ne s'emparera pas de tout et que j'aurai encore le loisir de le tenir tout contre moi, juste pour moi, par simple plaisir d'être là.

J'ai hâte de le voir. Il me manque plus que je ne le croyais. Son simple prénom évoque en moi tant d'émotions, que je me demande parfois quelles sont les raisons qui font que je m'entête à demeurer ici. Tout serait beaucoup moins bouleversant si j'étais resté avec lui à Québec.

J'ai lancé une roche dans un lac au repos et je m'étonne qu'il y ait autant de ronds dans l'eau. Suis-je inconséquent de n'avoir rien prévu? Les vagues me manquaient-elles? Jean me donnera sûrement la réponse à mes questions.

31 décembre 1989

On ne se comporte pas comme deux grands amis, mais il y a trop de tendresse entre nous. Nos retenues tuent le désir. Nous sommes bien ensemble, mais l'on se rassasie trop rapidement l'un de l'autre. Pendant les derniers mois où j'étais à Québec, il m'était souvent arrivé de me comparer à un navire qui tournait en rond dans un lac trop petit pour lui; aujourd'hui, Jean me dit que ce lac trop petit, c'était lui. L'on ne veut pas se perdre. C'est probablement momentané, mais ce n'est plus comme avant.

Jean est persuadé que je suis parti bien avant de prendre l'avion pour Vancouver. Il m'a remémoré ma joie lorsque je partais retourner travailler à Matane le dimanche soir, et tous ces moments où je préférais demeurer seul plutôt qu'en sa compagnie. Quand ça sort de sa bouche, j'ai l'impression qu'il me parle de ses peurs de croire en l'amour et ça m'agace encore plus qu'avant. Pourtant, moi aussi j'ai prononcé des mots qui m'ont étonné. Malgré tout ce que j'ai changé autour de moi depuis cet automne, je me suis encore entendu me plaindre de tourner toujours en rond. Jean s'est levé lentement, il a ramassé ses clefs, mis son manteau, et avant de sortir, il m'a dit : « Ton navire ne réussit pas à quitter le port. Tu as oublié de remonter l'ancre. Il serait peut-être temps de le faire? »

Je sais ce qu'il veut dire et je m'en veux de m'ennuyer des pâmoisons du début. Il y a longtemps qu'on est devenus trop raisonnables pour courir sous la pluie, néanmoins je regrette ce temps-là et j'ai hâte que cela m'arrive de nouveau. Pour être honnête, il n'y avait pas seulement mon travail, la mort de mes parents ou celle de mon ami Guy et des autres dans mon choix de partir de Québec. Un vertige qui me donnait la nausée s'était installé quelque part en moi. Une voix intérieure me répétait que ma vie était finie, qu'à trente ans, j'avais déjà atteint tous mes buts et que le reste de mon existence n'en serait qu'une pâle photocopie. Quand on a déjà le chum, les amis et la job dont on rêvait, qu'est-ce qu'on peut souhaiter de plus?

Je sais que j'ai encore le goût de tomber en amour, même si j'aime toujours Jean. Notre relation est si unique, pourquoi remettre en question une exclusivité que lui seul peut me procurer? Comme je le disais à ma mère, dans mon cœur, il y a une maison. Dans cette maison, il y a une chambre pour elle, une autre pour Jean et d'autres encore pour tous ceux que j'aime. Dans le grenier ou le sous-sol, je ne le sais pas encore, il y a d'autres pièces qui sont vides et que je n'ai jamais visitées. J'ai honte de moi, cependant le désir de m'y rendre me tenaille .

1er janvier 1990

Jean a passé la nuit dehors. Seul dans ma chambre d'hôtel, j'ai débuté la nouvelle année sans trop m'en apercevoir. La ville devait sûrement être en fête, pourtant je n'ai rien remarqué. Dans un restaurant de l'aéroport, on s'est redit la place unique que l'on occupait mutuellement dans la vie de l'autre. C'était sincère. Jean m'a demandé de ne plus me forcer à l'aimer, puisque de toute façon, l'on s'aime malgré nous. Il m'a même souhaité de rencontrer quelqu'un. On n'a pas pleuré. On était même fiers d'être honnêtes. Ce n'est pas une rupture, c'est une transformation pour cultiver entre nous le désir sans obligation. Après l'avoir embrassé, je l'ai regardé se diriger parmi la foule vers la porte d'embarquement de son avion et je l'ai trouvé magnifique comme rarement il m'était arrivé de le trouver. Jean n'est vraiment pas n'importe qui! Je suis orgueilleux de nous!

16 janvier 1990

À Vancouver, l'hiver c'est comme l'été, sauf que la pluie est plus froide. Les averses peuvent durer parfois cinq jours sans arrêt. Le soir, je demeure souvent sur mon balcon à contempler la mer au loin. Les bateaux se perdent dans la brume et me laissent avec l'infini. Les étoiles n'existent plus qu'en mémoire et, vus d'en haut, les humains ne sont plus que des dessus de parapluie. Avec toutes les fenêtres de mon logement, je ne peux jamais faire abstraction de la température, mais ça aussi, c'est ce que je voulais! Une chance que je suis occupé avec le bureau, parce que Mario est presque toujours à Gibson avec son chum Greg et je n'ai pas souvent des nouvelles de Québec. J'ai écrit trois lettres à Cécile et elle ne m'a pas encore répondu. Jean est toujours heureux de mes appels, mais ne prend pas l'initiative de me téléphoner. Par bonheur, il y a Alice. Elle est régulière, douce et sereine. Avec ses lettres, ses disques compacts et « *L'Actualité* », je suis au parfum du Québec comme si j'y étais toujours. Peut-être plus qu'avant?

1er février 1990

En fin d'après-midi, la pluie s'était tellement accumulée qu'il fallait presque être un sauteur à la perche pour traverser la rue. C'est au coin des rues Robson et Gilford que j'ai croisé Seth. Il arborait à ce moment-là, un regard que je ne lui avais encore jamais vu. Nous avons discuté quelques instants et c'est alors qu'est apparu enfin un rayon de soleil. On s'en est réjouis. Pourtant, Seth apprécie aussi la pluie… Il affectionne le parc Stanley lorsqu'en journée de pluie il est déserté. Il m'a déjà confié qu'il admirait le lustre que la pluie laissait aux fleurs, aux feuilles, au gazon, tout en les gorgeant.

Comment ce gars-là peut-il continuer à s'émouvoir de ce qui devient irritant pour tous? J'ai reçu une partie de la réponse à cette question quand, invité chez lui, je me suis retrouvé dans un grand salon dénudé aux rideaux fermés. Seth occupe un des plus beaux logements de la rue Chilco. La vue qu'il a sur le parc Stanley est à mon avis la plus spectaculaire qui soit mais, pour éviter de s'en blaser, il s'oblige à fermer ses rideaux plusieurs heures par jour. Il a compris que l'on s'habitue à tout, même au bonheur, alors il y va à petites doses et ne veut rien considérer comme acquis. Il m'a expliqué qu'il tenait cette habitude de sa famille, mais ne m'en a rien dit de plus. Ses yeux, les plus magnifiques de la côte ouest, se sont fait tristes à l'instant où il a fait référence à sa famille.

Nous avons pris un jus de pamplemousse dans son salon. Il ne m'a pas fait visiter le reste de son appartement et je ne suis pas resté très longtemps chez lui. D'ailleurs, je me souviens à peine de son ameublement. Il devait bien y avoir un divan et une télévision, mais cela n'avait pas une grande importance. Le soleil entrait massivement autour de nous et c'est ce qui comptait. Il avait fait danser son verre de jus entre ses mains impeccables, et je me rappelle avoir remarqué que sa barbe de début de soirée faisait ressortir la blancheur de ses dents parfaites. Je ne sais si j'ai fait une gaffe mais, avant de quitter son logement, je lui ai avoué que son prénom se prononçait comme j'avais l'habitude de dire : « *je t'aime* ». J'ai eu beau lui expliquer que c'était une question de lettres et qu'en français il y avait sept lettres dans « je t'aime »; il a semblé embarrassé plus qu'autre chose. Ma tentative pour le faire sourire s'est avortée d'elle-même!

Une fois sur le trottoir, j'ai songé à Juliette. Elle a raison : rien chez Seth ne laisse deviner qu'il est homosexuel ou hétérosexuel. Sa perfection ne le limite-t-elle qu'à lui-même? Peut-être. J'aurais pourtant aimé voir chez lui un « poster » de fille toute nue ou une sculpture de gars, n'importe quoi, mais quelque chose qui m'indique qu'il utilise, actualise, son potentiel physique. Il n'est pas que gentil, intelligent ou compréhensif, il a aussi un corps! C'est d'ailleurs un des hommes les plus magnifiques qu'il m'ait été donné de voir de toute ma vie, et j'en demeure chaque fois surpris quand je le rencontre. Comment fait-il pour trimballer tant de charmes innocents et demeurer discret?

Comme le reste de la semaine, le retour à mon appartement s'est passé sous la pluie. Le soleil ne fut que de courte durée.

5 février 1990

J'ai compris ce soir pourquoi j'ai si peu vu Mario cet automne. S'il passe la majeure partie de son temps à Gibson, ce n'est pas que Vancouver ne l'intéresse plus. Les longues rues mouillées les quatre cinquièmes du temps n'y sont pour rien; Mario et son chum savent qu'ils sont séropositifs depuis le mois de septembre. Contrairement aux autres maladies pour lesquelles l'on ne se demande pas : « *Où il l'a attrapée?* », le sida suscite automatiquement des questions d'ordre personnel. Quoi qu'il en soit, il n'y a probablement pas de réponse précise pour expliquer qu'ils soient séropositifs. Ils sont l'un à l'autre depuis si longtemps! En dépit de moi et du reste du monde, ils sont seuls, voûtés. La vie s'acharne-t-elle à tuer l'amour? Faut-il se battre contre elle, en plus du reste?

Il pleut sur la ville, il pleut sur ma peau qui n'est plus imperméable. Mon intérieur n'est plus qu'un vieux papier mouchoir mouillé. Mario, si Mario s'en va, il va tuer une partie de ma vie. Ensemble, on en a vu de toutes les couleurs. Je le constate aujourd'hui; il est en quelque sorte mon modèle, le frère que j'ai choisi d'avoir. L'existence ne peut m'imposer un autre détachement!

En quittant Québec, je croyais avoir laissé la mort derrière moi. Elle m'a suivi.

25 février 1990

Marie s'ennuie de moi. Sur un papier à lettre bleu parsemé de petites fleurs mauves, elle m'expose son vide intérieur en utilisant sensiblement les mêmes mots que moi jadis. Elle s'attriste du départ de Suzanne et de Hervé qui vont vivre à Montréal. Ils vont graduellement se perdre de vue et elle l'accepte déjà. L'amitié, comme l'amour, ne résiste pas toujours à tout.

Elle se fait aussi du mauvais sang pour Arthur, le frère d'Hélène, qui a eu un grave accident de ski. À ce qu'elle en dit, il aurait tout un côté du corps paralysé. Selon les médecins, les séquelles seraient permanentes. À la suite de ce diagnostic, la femme qu'il aimait est partie vivre avec un homme plus « autonome ». Je n'irai pas jusqu'à dire que ce qui lui arrive n'est rien; je comprends Marie d'être touchée mais, quand elle me parle de la solitude dans laquelle elle se retrouve après tous ces bouleversements, je ne peux qu'entendre le vide qu'occasionne une union stérile. Elle trouve que la vie est injuste et l'amour éphémère, ou trop limité pour ceux qui aiment. Marie m'a souvent parlé d'avoir des enfants, je me demande ce qu'elle a fait de ses rêves? Je ne peux quand même pas lui suggérer de se faire tatouer pour prolonger son amour dans le temps! Ce sera à elle de trouver ses propres solutions...

C'est agréable de ne pas être le seul homosexuel de la famille. Socialement, nous sommes minoritaires mais elle, qui a connu le même environnement que moi, elle est là pour me rappeler que je ne suis pas seul. On se ressent plus qu'on n'ose se l'avouer. Je l'aime.

Assurément, elle rencontre Jean à l'occasion. Pourquoi n'en parle-t-elle pas dans sa lettre? Sur toute la terre, Jean est la personne la plus proche de moi. Elle ne devrait pas se gêner de m'en parler : ça me rendrait plus heureux!

8 mars 1990

Ce soir, une carte envoyée par Jean m'attendait dans ma boîte aux lettres. À l'intérieur, un lapin assis sur un tas de carottes m'envoyait un triste sourire. Jean sait comment trouver les mots, les choses, les gestes qui me bouleversent. Sur le papier glacé, il avait écrit : « *Devant cette carte qui nous parle, il m'est venu le sentiment d'être un quelconque docteur Jivago. J'aimerais être un amoureux célèbre, un poète, et t'écrire une pensée profonde de philosophie, d'amour ou d'humanité. Tout ce que je puis, c'est mon impuissance à te redire que tu occupes une grande partie de mes pensées. Je t'embrasse. Ton Jean.* » Comment pourrais-je devenir un jour insensible à un tel gars? Je l'aimerai toujours.

20 mars 1990

Comme l'aurait sûrement dit mon copain Léandre, ce soir, j'ai connu un autre « grand moment ». Après le travail, je me sentais épuisé et, pour la troisième fois depuis le début du mois, je suis sorti me promener le long d'English Bay et j'y ai rencontré Seth. Ainsi que les deux premières fois, il y faisait son jogging et la pluie de la journée avait cessé. Assis sur une grosse roche, nous avons parlé quelques instants. Puis, avant de reprendre sa course en direction du parc Stanley, il m'a demandé s'il pouvait venir me rejoindre après son entraînement pour que nous puissions bavarder encore un peu. J'en fus surpris, mais j'étais d'accord. En le regardant s'éloigner, j'ai songé aux nombreuses contraintes que s'imposait Seth pour demeurer « parfait ». Tant d'exercices, de privations, de modération pour en arriver là! Il s'était même remis du gel sur les cheveux pour compléter son allure sportive. Décidément, tout chez lui semble exiger une touche finale.

Je me demandais jusqu'où pouvait s'étendre sa perfection, quand un homme portant une canne blanche attira mon attention. Visiblement, les roches parsemées sur la grève lui rendaient le passage difficile, alors je lui ai offert mon aide. Il me demanda de le diriger près de l'eau, là où il pourrait sans danger la toucher. Installés sur un rocher plat, nous avons relevé les manches de nos chemises et laissé l'eau froide tournoyer autour de nos bras. Il m'expliqua que cela ne lui était pas arrivé depuis très longtemps. Il devait en avoir lourd sur le cœur, car il amorça la longue énumération de tout ce qui lui était interdit. De la conduite automobile à la prise de photos, la liste de ses frustrations me sembla sans fin. J'aurais aimé le soulager de ses limites et lui donner accès à ses rêves, mais rien ne me venait à l'esprit. Soudain, Seth arriva près de nous, haletant. L'homme à la canne blanche tourna lentement la tête dans sa direction et ajouta : «... *and jogging too!* » Alors, m'est venue l'idée de placer l'extrémité de la canne de l'aveugle dans la main de Seth et de leur suggérer de courir côte à côte dans le sentier qui menait au parc.

Leur course maladroite n'avait rien de remarquable, mais elle nous procura à tous les trois une joie de vivre inattendue. Avant de nous quitter, l'homme nous remercia, le sourire aux lèvres. Remplis de sa joie, nous avons continué notre route et c'est là que Seth m'annonça qu'il ne lui restait plus qu'un mois et demi avant de compléter son baccalauréat en éducation physique. Son premier bac, il l'avait fait en administration pour répondre aux exigences de sa famille; mais, le deuxième, il l'avait fait à temps partiel, pour lui, et, si tout allait bien, il commencerait à enseigner en septembre prochain.

Comment a-t-il pu suivre de façon parallèle tous ses cours, sans que personne ne le sache? Décidément, Seth demeure pour moi un homme plein de mystères. Une seule constante s'impose : en sa présence, il ne pleut jamais!

3 avril 1990

Lorsque je discute avec Mario, Juliette ou même mes collègues de travail, il m'arrive de croire que notre société n'est avide que de crimes, de détournements, d'adultères et que le blé qui pousse n'intéresse personne, à condition qu'il se retrouve à l'heure prévue dans notre bol de céréales du matin. Sommes-nous rendus à ce point performants ou consommateurs pour que nous méprisions maintenant les choses simples de la vie? Avons-nous oublié qu'elles sont souvent les plus vraies? Je suis en manque de ces petites choses qui demandent une préparation, une connaissance des choses et des gens. On entend de moins en moins parler de l'implication personnelle, de l'apprivoisement et des conséquences de nos actes. Comme si c'était la chose la plus importante sur terre, la psychologie ne jure plus que par le « je ». Nos besoins personnels sont devenus des obligations auxquelles tous doivent se soumettre. Le plus ennuyant, c'est que je me reconnais dans ce que je dénonce. Vais-je finir ma vie en ressemblant à la caricature d'un Nord-Américain du vingtième siècle? Je devrais peut-être relire les lettres d'Alice? Elles sont parsemées d'odeur de poêle à bois, de rires d'enfants sous les arbres, de respect, d'attachements et d'admiration.

15 avril 1990

Le Pacifique a beau être vaste, j'ai un vide au fond de la gorge. Je m'ennuie de la Gaspésie, de Rivière-du-Loup, de Trois-Rivières, de Montréal... Je m'ennuie du fleuve. Je m'ennuie de chez nous. Je m'ennuie de Jean.

29 avril 1990

Tel que prévu au départ, Jean doit venir me rejoindre à Vancouver en juin, mais il hésite maintenant. Je m'en doutais et j'ai bien fait de lui téléphoner ce soir, sinon, je serais encore en train d'attendre de ses nouvelles, sans vraiment comprendre ce qui se passe. Notre relation s'est transformée, cependant rien ne s'altère entre nous. Je veux demeurer son privilège. Nous sommes toujours importants l'un pour l'autre, alors pourquoi s'éviter? J'aimerais tellement qu'il découvre ma nouvelle vie, qu'il rencontre mes amis, qu'il voie le lapin en peluche que j'ai acheté en songeant à lui et posé près de mon lit. Ce soir, quand je lui ai annoncé que le propriétaire du condo où j'habite était prêt à me le vendre à bon prix, il a explosé. Plutôt que de se réjouir avec moi, ce fut tout comme si je l'avais giflé. Je ne suis pas convaincu d'avoir compris ce qu'il m'a dit : « *Félix, tu crois pouvoir tout vivre. Ce que je considérais être ta naïveté et ton entêtement est devenu notre différence. Tu crois en tes capacités. Tu n'as jamais douté de te trouver un emploi, puis un autre, et encore un autre. Dès l'instant où tu t'es mis dans la tête de faire quelque chose ou même de connaître quelqu'un, tu t'arranges pour atteindre tes buts. T'as la tête dure. N'oublie jamais que c'est toi qui a fais les premiers pas pour me parler... Et ça a marché! Je suis devenu ce que tu voulais que je sois, mais là, je n'ai plus la confiance qu'il me faudrait pour avancer comme tu le fais. Tu crois toujours en nous, en l'amour, en l'avenir, moi pas... Tu t'es fait une nouvelle vie. Reconnais-le donc! Pour emprunter tes expressions : j'ai fait partie de ton passé, je suis encore un peu dans ton présent, mais c'est pas avec moi que tu veux construire ton futur. Pourquoi ne l'acceptes-tu pas? »*

J'ai eu beau riposter, lui parler de mes doutes, de ses influences sur moi, il perçoit les choses autrement. Au début de notre relation, il a reconnu avoir eu une certaine influence sur moi. Il a dit que j'étais alors comme de la pâte fraîche et que c'était plus facile de m'influencer, de me façonner à l'image qu'il voulait que je sois. Il reconnaît avoir laissé son empreinte sur moi, mais que, malgré tout, j'ai changé, j'ai durci.

J'étais incapable de terminer l'appel sans lui rappeler que je l'aime toujours. Il est devenu silencieux. Je lui ai demandé s'il en était de même pour lui. Il a répondu « *toujours* ». « *Puisque c'est ainsi, pourquoi ne pas venir à Vancouver en juin?* » En guise de réponse, un « *d'accord* » a conclu la conversation.

Je ne veux pas qu'on se perde. Je l'aime.

5 mai 1990

Au travail, nous devons tous faire du temps supplémentaire. Les activités estivales s'amorcent et ne nous laissent presque plus de vie privée. Juliette se plaint de ne plus avoir de temps pour être amoureuse et rêver. Nous sommes dans la production, dans l'action. Peut-on seulement se permettre de ressentir ce qui se passe autour de nous?

Dans ses lettres, Alice me fait réaliser que je mets de côté quelque chose d'important : l'instant présent que je devrais apprécier. Ses lettres me parlent d'être touché par la vie; les miennes, de travail et d'achat de condo. Malgré une certaine réussite sociale, un vide et une pauvreté intérieure ont pris racine chez moi. Je devrai éventuellement y remédier.

16 mai 1990

Pour mettre fin à des mois de labeur et de pluie, Juliette a improvisé une soirée chez elle pour souligner le début de l'été. Je m'y suis rendu avec Mario. Depuis trois semaines, il a laissé son emploi pour s'occuper à temps plein de Greg. Son état de santé s'est radicalement transformé, et Mario ne reconnaît plus celui qu'il aime. Sous sa chair qui s'affaisse, des os, des veines apparaissent. Un vieil homme partage maintenant sa vie et j'ai peur que Mario se laisse entraîner à son tour dans le tourbillon maudit de la mort. J'ai déjà vu la mort de près, je suis capable de la reconnaître de loin et je la hais; elle me donne le goût de fuir. Pour que Mario ait une trêve et qu'il oublie tout pour un instant, je l'ai invité à venir boire avec moi chez Juliette. « *On va tellement rire, que nos peurs vont avoir peur!* »

Jim était là avec sa femme. Juliette passait sa nervosité, sa contrariété, en déambulant d'un fêtard à un autre. Seth s'est montré si présent à mes côtés que

Mario m'a accusé de faire l'autruche en ne voulant n'y voir qu'une marque d'affection. Tel que souhaité, la bière et le vin ont coulé toute la soirée et une grande partie de la nuit. Nous avions besoin d'oublier nos préoccupations quotidiennes, alors on s'est raconté tout ce qu'on connaissait de loufoque, de fou, de ridicule. Juliette était sarcastique à l'occasion, Jim, cynique, et le rire de Seth n'était pas que poli. La complicité entre Mario et moi était évidente; par moments, nous en avons oublié les autres qui nous regardaient.

Quand le moment de partir arriva, l'absorption d'alcool annonçait ses effets sur nous, alors Seth s'offrit pour nous accompagner chez moi. Écrasés dans le fond de sa voiture, on s'est laissé conduire en respirant le vent d'été que les vitres baissées laissaient courir sur nous. J'étais si bien que j'aurais volontiers passé une semaine dans cet état-là. L'été avait besoin d'être beau, parce que l'hiver avait été long sans bon sens.

Nous avons couché Mario dans ma chambre d'amis. Ce fut comme de laisser tomber un caillou dans un aquarium; la porte de la chambre n'était pas aussitôt fermée qu'il dormait déjà. La main sur la porte d'entrée de mon appartement, Seth hésitait à sortir. Mal à l'aise, il cherchait visiblement le courage pour prononcer faiblement : « *Please, would you mind kissing me?* *» J'étais si peu convaincu d'avoir bien compris sa demande que je n'ai pas bougé. Le temps d'un instant, Seth déposa ses lèvres sur les miennes, puis quitta mon appartement dans un coup de vent. J'ai refermé moi-même la porte en me demandant si ce qui venait d'arriver était bien réel. Je n'ai pourtant pas une mauvaise opinion de moi. Malgré tout je me suis senti

* « S'il-te-plaît, pourrais-je t'embrasser ? »

147

comme un vieux monsieur à qui on offre une boîte de chocolats et qui dit : « *C'est trop beau pour moi.* »

Depuis quand demande-t-on à quelqu'un de nous embrasser? Est-ce une nouvelle mode? Je peux pas dire que j'ai commis « l'adultère » mais, après onze ans d'union, c'est surprenant!

En m'allongeant sur mon lit, mon cœur battait en accéléré, heureux d'avoir enfin vécu quelque chose d'intime.

Le lendemain, Mario est resté pour déjeuner avec moi. Il avait des choses à me dire. D'après lui :

- Ma vie manque de sens, et c'est surtout ça que je crains de regarder en face, plus que la mort elle-même.
- Mon travail prend trop de place dans ma vie.
- Je devrais faire un choix. Il m'accuse de ne pas être ici et de ne pas être à Québec non plus.
- Je fuis la mort parce que je ne me sens plus assez vivant pour la combattre. « *Mets donc de la vie autour de toi!* »
- Finalement, ses deux questions de base étaient : « *Es-tu toujours en amour avec Jean ?* » et « *Que cherches-tu à éviter?* »

Aucune de ses paroles n'a été prononcée pour me blesser. Bien au contraire, je les ai reçues comme une preuve d'amitié, d'authenticité. En terminant de ranger la cuisine, Mario m'a souligné que je ressemblais beaucoup à Seth. « *Vous avez le même souci de perfection. Vous restez sur place dans l'appréhension d'écraser un œuf qui se trouverait sur votre route. Si tu le veux, tu devras le prendre, car il est trop passif, trop bien élevé pour agir et faire les premiers pas. Tu peux aussi arrêter de te poser des questions à son sujet, il est aussi homosexuel qu'une tablette de chocolat peut être sucrée!* »

28 mai 1990

Jean chante dans la douche. Depuis quatre jours qu'il est ici, il donne un sens à chaque chose. Mon appartement se revêt de chaleur, de complicité. Enfin, toutes les choses que j'ai achetées ces derniers mois deviennent utiles. Je ne suis plus un lavabo vide, il y a un bouchon dans le fond et l'eau peut s'accumuler. Nous pouvons nous y abreuver.

Le côté éphémère que procure une semaine de vacances nous enlève tout le poids du quotidien. Il ne reste que de la crème, du gâteau à partager et c'est ce que nous voulons être l'un pour l'autre.

Aux petites heures du matin, pendant quelques instants, dans un demi-sommeil, j'ai cherché Jean du regard dans le lit. Il était étendu sur le côté et regardait mon tatouage. À mon oreille, ses lèvres ont murmuré : « *Est-ce bien vrai?* » Et mon cœur répondit : « *Toujours.* » Il s'est recouché tout contre moi et l'on s'est endormis de nouveau, encore mieux qu'avant.

30 mai 1990

La soirée que j'ai organisée pour Jean chez moi s'est très bien déroulée. Mario était heureux de le revoir après tant d'années. Jean trouve que Jim est un homme intelligent, que Juliette est magnanime et que Seth est beaucoup plus beau que ce que je lui avais décrit. Malgré le délicieux souper, le sommeil ne vient pas et Jean dort déjà. Une question me tracasse. Pourquoi Jean s'est-il présenté à mes amis en disant être mon « ex »?

1er juin 1990

Juste avant le départ de l'avion que Jean devait prendre, on s'est promenés sur la terrasse extérieure de l'aéroport et c'est là qu'a eu lieu la discussion que je redoutais tant :

— Je ne connais pas beaucoup de gens qui seraient demeurés ensemble plus de dix ans, sans contrat de mariage ou obligations parentales. J'en ai eu plus que je ne l'espérais.

— Tu parles comme si c'était fini.

— C'est fini, Félix...

Tout n'est pourtant pas mort. J'ai encore de l'amour pour toi!

— Moi aussi et c'est ce qui me fait souffrir. Il y a encore des fleurs, des sourires, des promenades au port, des sautes d'humeur et des nuits blanches que j'avais préparés pour ton retour, et tout ça me fait mal maintenant.

— Tu voulais que je revienne? Est-ce que tu veux que je revienne?

— Mes paroles ne serviraient à rien, tes actes eux-mêmes ont répondu à la question que l'on se pose depuis septembre dernier. Il est fini le temps où l'on s'attendait pour souper ensemble, où l'on regardait l'autre à son insu, où l'on désirait son bonheur plus que le sien. Ça fait désormais partie du passé. Il n'y a plus de pommiers dans la cour, plus de lapin, plus de raton, plus d'amoureux qui se disputent pour mieux s'aimer après et se comprendre...

— Puisqu'on y pense, que ça nous bouleverse toujours autant, c'est que tout ça existe encore...

– On parle seulement au passé, Félix. On ne construit plus rien. C'est mort!

– On peut sûrement continuer et réveiller ce qui commençait à s'endormir... Je te le demande pour nous, veux-tu que je revienne à Québec?

– Ne me pousse pas à te mettre au pied du mur. Tu sais très bien que tu t'ennuyais, que tu tournais en rond. T'es quand même capable de reconnaître ça? Ton besoin d'être toujours gentil et convenable t'empêche encore de comprendre pourquoi c'est arrivé, mais ça change rien à la situation. Tu vas rester ici, parce que tu serais pas capable de revenir à Québec comme je le voudrais.

– Pourtant, on vient de passer une semaine merveilleuse...

– Après neuf mois d'attente!

– L'important, ce n'est pas la quantité, c'est la qualité. Nous avons été complices encore une fois?

– Oui, et j'y ai puisé le courage qu'il te manque pour prendre une décision. Je ne veux pas attendre encore neuf mois pour être comblé sept jours. Sois fort, arrête de tout rationaliser, de tout embellir, fais ta vie sans moi et je ferai de même avec la mienne. De toute façon, tu ne m'aimes plus qu'à temps partiel et tu as besoin d'un temps plein! Je ne m'arrêterai pas de t'aimer, mais tu dois comprendre que je ne suis plus en « stand by ». Tu as un condo, une bonne job, de nouveaux amis, un beau gars qui tourne autour de toi et, en plus, tu veux m'avoir comme assurance affective à l'autre bout du Canada. Si tu m'aimes vraiment, c'est le temps de me le prouver avant que je te haïsse; laisse-moi refaire ma vie, moi aussi.

Pendant quelques instants, nous avons parlé du passé, puis il est parti. Je suis d'accord pour qu'on arrête de s'attendre, mais je veux qu'on se revoie. Jean fait partie de ma vie, comme je fais partie de la sienne. La tristesse et l'espoir se mélangent en moi à mesure que le goût des larmes s'intensifie dans ma gorge.

13 juin 1990

Pour moi, le 1er juin ne sera plus jamais une journée ordinaire. Je ne pense qu'à lui.

17 juin 1990

Une carte postale de Suzanne et de Hervé a embelli ma journée. En amoureux, ils visitent la France et espèrent y concevoir le plus beau des bébés de la terre. Leur espoir contraste avec la vie de couple monotone de Jim, l'attente d'un grand amour de Juliette, le déchirement que vit Mario au quotidien de voir s'éteindre celui qu'il aime, et l'état de lassitude où je me suis incrusté. Je veux que de doux sentiments m'habitent de nouveau moi aussi. J'attends un secret intime, des émotions palpitantes, des projets à deux.

25 juin 1990

Ce soir, je me suis fait beau pour me rendre au restaurant pivotant prendre une autre vodka jus d'orange à la santé de Jean. Déjà douze ans aujourd'hui que l'on se connaît. En conservant mes vieilles habitudes, j'entretiens l'idée que mon passé demeure, d'une certaine façon, présent. J'allais quitter mon appartement, quand Seth arriva pour m'inviter à souper. Nous avons convenu de nous rendre ensemble à la tour et il remarqua mon trouble lorsque, seul devant la grande vitre, j'ai levé mon verre en direction de l'est. Il ne me posa aucune question. Nous sommes rentrés à pied jusque chez moi dans le silence. Il a accepté de monter à mon appartement et il dort maintenant dans mon lit. Tout s'est passé sans paroles, sans rires, sans retenue. Il était comme une voiture neuve qui sortait d'un concessionnaire. Nerveux, réagissant aux moindres courbes et fier de sa performance, de sa belle allure. Je suis déçu qu'une telle comparaison me vienne à l'esprit en un tel moment, car je le sais sincère, honnête et terriblement bouleversé. Il n'a rien à m'expliquer, ses maladresses m'ont déjà informé que j'étais le premier. De mon côté, j'ai gaspillé une partie de mon plaisir de le découvrir en m'adaptant tout simplement aux différences qu'il me présentait. Le corps de Jean symbolisait mon barème de référence et c'est par lui que j'ai découvert celui de Seth. Comment suis-je devenu aussi tordu? J'ai hâte de regarder Seth pour ce qu'il est, sans avoir à m'adapter au changement. Je souhaite le jour où je pourrai passer la nuit à apprécier Seth à sa juste valeur. Une chance inouïe dort dans mon lit. Le gars le plus intègre et le plus beau de toute la côte ouest sommeille dans mes draps et moi, pendant ce temps, j'écris, dans mon journal, qu'en le découvrant, je réveille l'absence de Jean qui me blesse. Mes souvenirs devront se faire moins lourds si je veux goûter à la légèreté du présent.

31 juillet 1990

Cet après-midi, j'ai demandé à Seth de me conduire au plus beau cimetière qu'il connaissait dans la région. Un peu plus tard, on s'est promenés dans un cimetière juif, où de gros arbres avaient poussé. Le ciel était dégagé et la lumière blanche sur les pierres tombales contrastait avec le vieux paquebot que mon cœur traînait avec douleur. Mon père est mort il y a un an. Le vide qu'il a laissé en moi est si grand que je n'ose que très rarement y penser. Cet après-midi pourtant, je me suis fait plaisir et j'ai parlé avec lui en m'adressant aux pierres tombales à moitié recouvertes de fleurs ou de mousse. Seth me surveillait de loin sans rien comprendre, sans juger. Pour la première fois depuis le décès de mon père, je me suis donné le droit de crier que je m'ennuyais de lui. Une foule de vieux souvenirs me sont revenus à l'esprit et j'ai ressenti son affection. Depuis quelque temps, sans trop en connaître la cause, je me sens coupable, responsable de tout. Je doute de mes choix. Cet après-midi, un apaisement m'est venu lorsque, devant un bloc de granit doré par le soleil, la voix de mon père m'est revenue en mémoire pour me redire : « *Tu sais, la perfection est de mise dans notre famille, mais c'est d'abord à toi-même que tu dois plaire.* »

La compréhension et l'appui de mon père me procurèrent, comme autrefois, du courage, une paix réconfortante. Lorsque j'ai expliqué tout ça à Seth, il m'a envié d'avoir su parler avec mon père de son vivant et d'avoir acquis la certitude de son amour, même après sa mort. Je ne crois pas aux esprits. Mon père n'existe plus, mais quand je ferme les yeux, je peux encore le sentir près de moi et son souvenir me rassure.

Sous un gros arbre, Seth m'a raconté qu'Abraham était le père des croyants et de Moïse, que la Bible contenait la loi écrite dont l'essentiel fut révélé à Moïse sur le mont Sinaï. Pour un juif, à ce que j'ai compris, c'est en vivant des choses que l'on peut évoluer. Pour eux, comme on le sait, il est important de réussir, d'être reconnu socialement, mais il y a aussi l'indispensable besoin d'investir dans l'avenir, d'avoir des enfants. L'individu n'a que peu de poids en comparaison avec le couple, alors Seth a appris à se taire. En étant homosexuel, Seth a l'impression de briser la règle, de renier les traditions auxquelles il adhère toujours. Il adopte le contrôle cérébral et cache ses émotions, sa vulnérabilité. Il m'a parlé de sa vie comme s'il avait été question d'un tissu où les mailles s'entrecroisent, au point que l'on ne puisse établir de distinction entre elles. Les influences autour de lui sont si nombreuses, qu'il ne sait plus être lui-même en présence de sa famille. Qui en est la cause? Son père qui ne parle que de lui? Sa mère, trop fragile pour parler? Son frère performant? L'oppression sociale? Le judaïsme? Tout ce que Seth en dit, c'est qu'il ne veut pas être un élément provocateur, un être à contre-courant qui exposerait sa vie et celle des siens à la face du malheur. Il redoute de bousculer, de déranger ceux qui lui ont tout donné; par respect pour eux, il les tient éloignés. Son mutisme est intégré au point qu'il ne voit pas le jour où il pourrait leur parler franchement de sa vie. Son autocontrôle lui procure l'ordre enviable qu'il présente partout autour de lui, telle une bonne impression. Je dois en comprendre qu'il y a deux Seth : celui dont Juliette et Jim se plaignent de ne rien connaître, et l'autre qui sait s'émouvoir lorsqu'en privé je lui passe la main dans les cheveux. J'aimerais l'aider à voir plus loin que les apparences, les drames ou la détresse. Il y a quelque chose de pur en lui.

11 août 1990

Une pâmoison, ce n'est pas la réalité. Jean n'était pas au départ celui que je croyais qu'il était, et Seth non plus. Dans l'intimité, Seth possède l'innocence et la candeur qui sont généralement le propre des enfants timides. Il aime me répéter qu'il m'aime pour toujours. Quand je lui demande comment il peut m'affirmer une chose pareille, il me répond qu'il m'observe depuis près d'un an et que rien en lui ne lui permet de douter de ses sentiments à mon égard. Son manque d'expérience en amour lui a laissé une fraîcheur bienfaisante qui m'apaise. Il me permet de croire que je peux une seconde fois recommencer ma vie. En découvrant Seth, je redécouvre Jean. Seth met en évidence certaines qualités et certains défauts de Jean. Jean prenait sa place sans effort; Seth la demande poliment. Jean disait : « *Qui m'aime me suive...* » Seth commence toujours ses phrases en utilisant le conditionnel : « *Would you like...* » Tout en étant tous deux extrêmement honnêtes, ils sont diamétralement opposés. Seth croit en l'amour; Jean en doutait.

À la fin du mois, Seth et moi partirons pour Hawaï. Seth en parle comme d'un « honeymoon ». Il veut que l'on fasse le plus de choses possibles ensemble.

29 août 1990

Dans un avion survolant le Pacifique.

À l'instant où je quittais mon appartement, ma valise à la main, pour rejoindre Seth à l'aéroport, le facteur m'a remis une nouvelle lettre d'Alice. C'est une très belle lettre. Elle y a joint un poème qu'elle a dédié à notre père. Pour elle, l'essentiel de la connaissance implique le silence, la réflexion, et je ne peux y échapper quand j'ai le privilège de lire ce qu'elle m'écrit. Son cœur ne s'allège pas du départ rapide de notre père, mais elle se souvient avec précision de lui. Son poème raconte le rythme de ses pas le long du fleuve, la façon qu'il avait d'écouter les arbres chanter dans le vent autour de la maison, sa tendresse malhabile lorsqu'il posait sa main sur nos épaules pour nous réconforter et comment ses yeux pouvaient devenir tristes quand on lui demandait de nous parler de lui.

J'admire l'authenticité et la rigueur de ma sœur. Elle sait décrire la réalité telle qu'elle est. Ses mots sont choisis avec tact pour rejoindre les gens et devenir universels. Ma réalité à moi est déformée, subjective, et révèle plutôt mes émotions que l'objet réel. Alice sait nous présenter une fleur dans ses moindres détails; tandis que moi, j'expose ce qu'elle me fait ressentir. Pour éviter de fausser les données, j'aimerais apprendre moi aussi à ressentir la vie, sans constamment prendre position sur elle. Je suis trop émotif.

Seth sera une bonne influence pour moi. Assis à mes côtés, il regarde défiler les nuages et n'anticipe pas l'avenir. Au décollage de l'avion, il m'a confié que c'était l'un des plus beaux jours de sa vie.

18 octobre 1990

Comme s'il était vêtu d'un manteau trop long, trop lourd, Mario porte le deuil de son amour. Après l'enterrement de Greg, il est venu habiter chez moi pour quelques jours et ne veut plus en repartir. Retourner à Gibson lui fait peur. Pour contrer la mort toujours présente chez lui, Seth et moi irons l'aider à se réinstaller et passerons la fin de semaine avec lui. Mario doit reprendre son travail dans deux semaines. Ça ne peut que l'aider à se sortir de sa peine. En contraste, Marie a rafraîchi une des chambres de sa maison pour accueillir en permanence Arthur, le frère d'Hélène. Elles en sont si heureuses, qu'elles en parlent comme d'un projet de naissance. Contrairement à moi, ma sœur ne sentira probablement jamais le besoin de se faire tatouer pour démontrer sa passion; Arthur sera l'enfant qu'elles n'ont pas enfanté. Nos parcours nous imposent parfois tant d'embûches qu'on se doit d'être créatifs pour atteindre nos buts. La vie est ce qu'elle est, et l'humain plein de surprises. La souplesse de vivre de Marie et d'Hélène m'étonne. Elles se construisent au quotidien un monde qui leur ressemble.

16 décembre 1990

Au travail, Seth se comporte tel qu'il a toujours été : réservé, contrôlé, silencieux. Malgré ses intentions, il n'a fait aucune démarche pour se trouver un emploi dans l'enseignement de l'éducation physique. Il dit qu'il n'est bien qu'avec moi et que son monde tourne autour du mien. J'aimerais pourtant qu'il réalise ses rêves et que l'on puisse s'en réjouir. Avec sa famille, il a pris considérablement de distance cet automne. Il ne la voit presque plus. Nous passerons donc la période des Fêtes avec Mario, à Gibson. Le tendre Seth, le trop doux, comment peut-il espérer séparer sa famille et notre amour, sans en être déchiré?

10 janvier 1991

La période des Fêtes m'aura permis de réaliser ce que j'ai fait. Comment puis-je réagir à contretemps? J'avais trop confiance en Jean et moi pour m'avouer que l'on courait un danger. On ne peut jouer à la roulette russe indéfiniment, sans se flamber un jour la cervelle. Dans les montagnes enneigées qui entourent la ville de Gibson, j'ai été assommé par un moment de lucidité. Toutes les fleurs sauvages qui m'avaient charmé l'été dernier étaient alors recouvertes de neige. Entouré par le blanc immaculé de la neige, je me suis retrouvé seul, fouetté par le vent et mes remords. Un froid indescriptible me pénétrait, c'est alors que, du plus fort que j'ai pu, j'ai hurlé le nom de Jean dans l'immensité. L'écho a projeté son nom d'une montagne à l'autre, mais ne me le rendit pas. Je suis demeuré seul dans le silence, face à ma propre honte d'avoir moi-même mis fin à la plus belle histoire d'amour que je connaissais. Avant cette journée, je ne croyais pas notre choix définitif. Naïvement, j'avais cru qu'un peu de distance nous aurait fait du bien et que l'on se retrouverait à un tournant de la vie. J'aurais peut-être dû laisser la neige m'enterrer à ce moment-là, plutôt que de revenir à la hâte chez Mario pour téléphoner à Jean. Il y avait de la musique chez lui, je l'ai probablement dérangé. Égoïstement, je n'y avais pas pensé. Le son de sa voix à mon oreille me bouleversa au point que je lui ai dit sans retenue que j'étais dans un désert sans lui et que je m'en voulais d'avoir tout gâché. Comme s'il ne m'avait pas entendu, il me demanda de lui parler de Seth, de ma nouvelle vie, puis conclut l'entretien en disant : « *L'amour n'est pas là pour restreindre, tu as reçu, tu peux donner. S'il te plaît, Félix, je te demande de ne plus me téléphoner. Moi aussi, j'essaie de refaire ma vie.* »

Après l'appel, je suis resté un long moment dans la chambre de Mario, l'appareil téléphonique entre les mains. J'ai regardé le givre sur la vitre, le grand lit double où Mario dort seul, et j'ai répété dans ma tête les paroles de Jean : « *Tu as reçu, tu peux donner.* » Dans la cuisine, Mario et Seth jouaient aux cartes avec amusement. Leur insouciance me donna le goût de les rejoindre pour mieux les apprécier. En cette période de l'année où les nuits sont les plus longues, le temps pour assimiler ma première vraie peine d'amour ne manquerait pas. Une dernière question pourtant envahissait mes pensées : comment puis-je concilier le fait que je tombe progressivement amoureux de Seth, alors que je suis en pleine peine d'amour de Jean ?

J'attends inlassablement la réponse.

20 janvier 1991

Pourquoi est-ce que la vie est injuste et qu'elle s'amuse à nous le mettre sur le nez? Pourquoi est-ce que j'ai claqué la porte de mon bureau, que j'ai marché en voulant tout détruire sur mon passage, au point de connaître la haine? Pourquoi Marie m'a-t-elle téléphoné au travail en utilisant les mots et le timbre de voix de ma mère? Pourquoi m'a-t-elle parlé du Seigneur, d'épreuve et de compréhension? Pourquoi son attitude m'a-t-elle tant agacé? Pourquoi fallait-il qu'elle m'annonce que Hervé et Suzanne étaient au Mexique en voyage pour deux semaines? Pourquoi la mer peut-elle emporter sans avertissement une femme qui commençait à aimer la vie au point de vouloir la donner? Pourquoi Hervé a-t-il dû subir l'épreuve de revenir de ses vacances avec un cercueil? Pourquoi la mort se rapproche-t-elle ainsi de moi? Pourquoi est-ce que j'ai si mal? Pourquoi je ne peux écrire sur cette réalité sans que mes larmes ne sèchent? Pourquoi est-ce qu'on s'habitue au malheur comme au bonheur et que j'irai travailler demain comme je l'ai fait ce matin? Pourquoi est-ce que je m'efforcerai de l'oublier, elle aussi, rapidement? Pourquoi est-ce que je ne trouve pas les bons mots pour réconforter Hervé? Pourquoi nous avoir fait connaître et aimer Suzanne, si c'était pour qu'elle disparaisse avant nous? Pourquoi est-ce que je ne trouve pas de sens à tout ça?

Parce qu'il n'y a pas de sens à l'existence et que la résignation me donne mal au cœur!

26 février 1991

Tout comme Juliette, Mario me fait remarquer que je suis de moins en moins disponible pour lui. La réalité est que je ne suis presque plus chez moi. Quand ce n'est pas le travail, ce sont mes cours de natation, le cinéma ou même le camping de fin de semaine avec Seth, qui occupe la majeure partie de mon temps. Mario y voit l'influence de Seth et son angoisse de l'intimité. Dans les faits, Mario n'a pas tort, mais cela ne vient pas que de Seth. Je mets de la distance entre moi et les événements. Seth n'est toujours pas capable de parler ouvertement de ses inquiétudes avec moi, mais il est sincèrement amoureux. Je lui laisse alors du temps; l'on se découvre progressivement. Dans le passé, j'ai cherché à influencer Jean; je l'aurais voulu plus positif, plus confiant en son avenir, et cela n'a rien donné. Le mutisme de Seth m'exaspère à l'occasion, pourtant j'aimerais m'y adapter. Avant de s'endormir, il me répète qu'il m'aime pour toujours. Cela m'amuse, je me détends à ce moment-là en sachant que c'est tout ce qu'il est capable de prononcer.

Ma vie est devenue une course, un marathon. Je le reconnais en avouant que, lorsque la mort et la rupture seront un peu plus loin de moi, moins omniprésents, moins blessants, j'essaierai de les affronter. Pour le moment, tout est encore trop récent pour que j'intègre ce qu'il y a à comprendre. Je me protège par l'action. Je sais que j'ai préféré le verbe faire au verbe être, que Seth et moi, nous nous étourdissons pour éviter d'entrevoir que nous ne sommes que peu de chose. Cependant, l'espoir me dicte que ce n'est que passager. Il viendra un temps où tout sera assimilé, compris. Un moment où la paix me ramènera l'instant présent.

10 mars 1991

Ce matin, après avoir pris un café, Seth est parti chez ses parents pour un dîner familial. Son anxiété était plus élevée qu'à l'ordinaire. Toute la nuit, il avait tourné dans mon lit sans que j'en comprenne les raisons. Pour la première fois depuis bien des mois, j'ai organisé un brunch pour Mario et Juliette. J'ai enfin rangé les napperons, installé une nappe propre, fait le ménage et placé des fleurs coupées sur la table. Ils se sont présentés à l'heure prévue. Juliette nous a raconté qu'elle avait répondu à une petite annonce dans le journal pour rencontrer un homme. Elle attendait fébrilement la réponse du bel inconnu et cela la rendait pétillante, belle. Quant à Mario, il n'a plus l'implication au travail qu'on lui connaissait. Greg occupe encore trop de place dans ses pensées pour que son esprit soit libre. Sa capacité de concentration s'est affaiblie. La mort de ceux qu'on aime fait vieillir rapidement.

Lorsque je leur ai fait part du fait que Seth était parti contrarié ce matin et que je ne réussissais pas à m'expliquer le pourquoi de son état, ils ne s'en sont pas étonnés. Mario m'a même demandé si j'avais la prétention de croire que je pouvais connaître réellement Seth. Juliette m'a mis en garde de ne pas m'épuiser à vouloir comprendre ce qui ne pouvait que se ressentir. J'allais leur demander des explications quand Seth entra dans la salle à manger en nous demandant s'il pouvait se joindre à nous. À sa triste mine, j'ai compris qu'il était bouleversé. Il est peut-être vrai que je ne peux le connaître totalement, pourtant je le ressens. Son désarroi m'émut et me laissa distrait pour le reste du repas.

Une fois seuls, je lui ai demandé de m'expliquer la nature de sa peine; il en était incapable. Alors, j'ai exigé de lui qu'il me raconte, dans les faits, ce qui s'était passé ce matin. Ses mains posées sur son visage, sa voix était secouée par les sanglots. Sur la nappe, ses larmes se sont déposées en cercles sombres. Il avait honte de lui.

163

Honte de n'être que lui. Déçu d'être près de ce qu'il veut, sans y être vraiment; être encore et toujours simplement « on the edge ». Il n'y a pourtant pas eu de confrontation ce matin. Il n'est pas entré dîner chez ses parents. Il y a trois jours, Seth s'est fait percer une oreille en croyant me faire plaisir. Je n'ai jamais particulièrement apprécié les oreilles percées pour un homme mais, convaincu qu'il l'avait fait pour lui-même, je m'étais montré amusé de son geste. Il a enfin fait quelque chose, quelque chose de non conventionnel, m'étais-je dit. Je m'étais en partie trompé. Depuis, il regrette son geste en songeant aux conséquences. Ce matin, en montant les marches de la demeure de ses parents, Seth a aperçu son père dans le salon. Il lisait paisiblement le journal. Sur ses cheveux soigneusement placés, son père avait déposé sa petite calotte juive. En l'apercevant, Seth comprit qu'il ne pouvait se présenter avec sa boucle d'oreille devant sa famille. Plutôt que de l'enlever, il a préféré se décommander d'une cabine téléphonique et venir me rejoindre dans mon appartement, seul lieu au monde où il dit qu'il peut encore être lui-même.

En ses mots, Seth m'exposa que le corps était un cadeau de Dieu et que, pour les siens, c'était une abomination que de le percer. Sa famille ne se limite pas qu'à ses parents, il pense aussi à sa grand-mère qui vit à Boston, à son parrain à New York, et il ressent leur humiliation, leur déshonneur. Sans vivre les mêmes pressions sociales, à l'écouter, j'ai vécu moi aussi l'isolement, et ça m'a donné froid dans le dos. Seth veut vivre et demeurer pur à la fois. Il semblait attendre la grâce sans pouvoir bouger, alors j'ai retiré ses mains de son visage pour qu'il puisse me voir lui dire : « *I love you as you are and I hope, that one day, you will love yourself as much as I do.**»

Ce n'était pas facile de le voir pleurer. Malgré sa détresse, la pureté de ses traits ressortait plus tangible que ses pleurs. Quelque chose en Seth se rapprochait de la perle cachée dans sa coquille au fond de la mer. Étais-je le seul à le voir?

25 mai 1991

Bon! Mon billet d'avion est enfin acheté. Dans une semaine, je serai de nouveau à Québec. J'appréhende un peu de m'y retrouver, c'est la ville où j'ai connu l'amour. Mais Gabrielle s'est montrée si heureuse que je puisse participer à la fête du 25e anniversaire de mariage d'Alice et de Charles, qu'elle m'a offert l'hospitalité pour la fin de semaine. Je n'ai pas invité Seth à m'accompagner. Il prend si peu sa place ici qu'il serait perdu à Québec. J'y serai moi-même un étranger de passage qui multipliera les invitations pour repousser l'idée d'être devenu un intrus dans sa propre ville d'origine. De toute façon, trois jours, ça peut être vite passé ou atrocement long, si je les vis à attendre des nouvelles de Jean. Au moment de prendre ma décision, à savoir si je serais là pour la fête, j'ai fait parvenir à Jean une brève missive, qui disait à peu près ceci :

« *La plante que tu as semée dans mon cœur ne s'est pas arrêtée de pousser le premier juin de l'année dernière. Elle n'a plus de fleurs, ses feuilles sont moins vigoureuses qu'avant, mais*

---

* « Je t'aime comme tu es et j'espère qu'un jour, tu vas t'aimer comme je t'aime. »

les racines sont si profondes qu'elle survit encore, refusant de mourir.

Je m'inquiète de ton silence. Est-ce que la vie est douce pour toi? Vas-tu bien? Tu connais le numéro de téléphone de ma sœur Gabrielle, si tu acceptes que l'on se reparle, tu peux m'y rejoindre du 31 mai au 2 juin.

Merci à l'avance

Félix »

30 mai 1991

La correspondance entre Alice et moi demeure le seul lien constant qui persiste et me rattache à mon passé. Je comprends mieux maintenant l'attachement qu'elle me porte et qui lui a fait dire qu'elle m'écrirait régulièrement. Il aurait été facile de n'être jamais vraiment significatif l'un pour l'autre. J'avais à peine huit ans lorsqu'elle s'est mariée, mais notre besoin de communiquer, de sortir de nous-mêmes, ont fait que nos chemins s'entrecroisent. Et voilà qu'Alice qui se croyait trop ordinaire, et moi qui étais convaincu de ne pas l'être assez, on se complète.

Lorsqu'elle s'amuse à nous surnommer « les jumeaux », je suis convaincu de l'honnêteté de ses intentions, car rien ne l'oblige à une telle connivence. Ses démonstrations, même les plus petites, me touchent. J'y perçois une transparence. La plupart des gens autour de moi agissent et réfléchissent par la suite; Alice se démarque d'eux en me laissant entrevoir une autre façon de vivre. Ses lettres sont remplies de routes étroites, toutes en courbes, en vallons, tapies d'ombre, de lumière, d'images et de passions. Elle y décrit la soupe qu'on renifle, la voisine qui s'inquiète du temps qu'il fera, du chat qui ronronne sous l'escalier; et je m'y vois. Ses mots, choisis avec précision, construisent autour de moi un univers où je peux me ressourcer. Notre société performante broie et réduit en poussière ce qu'Alice cherche à protéger et je l'admire pour ça. Elle ose encore respecter et s'émouvoir de ce que les gens ne ressentent plus. L'honnêteté de sa simplicité est une denrée si rare de nos jours, que je ne sais comment lui témoigner les bienfaits que ses lettres déposent sur moi. Je les ai toutes rangées dans un coffre de bois, que j'ouvre quand les temps sont difficiles. Immanquablement, leur action apaisante m'attendrit, me transporte dans un monde de douceur.

À la soirée de leur 25e anniversaire, au moment où elle et Charles entreront dans la salle de réception que nous avons louée au manoir Montmorency, si je la vois me chercher du regard parmi les invités, je saurai qu'elle m'aime vraiment; alors je lui remettrai mon journal intime, qu'elle m'avait elle-même offert et elle comprendra, à sa lecture, l'importance qu'elle a à mes yeux.

1er juin 1991

Je ne peux terminer ce journal intime sans y ajouter la plus étonnante des surprises qui me soit arrivée depuis longtemps. À l'aéroport de Québec, ce n'est pas ma sœur Gabrielle qui m'attendait les bras ouverts. En recul des autres personnes qui accueillaient les passagers de l'avion, une silhouette dansait nerveusement sur place pour contenir sa joie de me surprendre.

Le moment tant attendu de dévoiler le secret bien gardé était arrivé. Dans ses nouveaux vêtements, la métamorphose était totale. Le piège était si doux que j'ai failli ne rien comprendre. Le miracle de l'insémination artificielle avait fait de nouveaux « heureux ». Dans sa robe de femme enceinte trop grande pour ses trois mois de grossesse, Marie m'exposa comment Hélène, son frère Arthur et elle-même attendaient le plus beau des cadeaux de Noël qui soit. Merci la vie !

***

Alice relut certains passages, ferma le livre, puis passa sa main droite sur ses yeux. Le soleil surplombait la ville et s'étirait sur le fleuve. Sur la table, la théière était vide. Elle aurait aimé que Félix soit assis à ses côtés pour lui demander d'où lui venait cette confiance en elle, qu'elle n'éprouve que rarement. Portant le livre sur son ventre, elle le serra et se jura à elle-même d'avoir l'audace de raconter à son tour à Félix tout ce que sa journée lui avait procuré en émotions.

– 11 –
De génération en génération
– 1992 –

La fête du 25ᵉ anniversaire de mariage s'était bien déroulée. Un peu comme à leurs noces, les échanges s'étaient multipliés. Mais une connivence, qui ne pouvait apparaître qu'avec les années, s'était installée entre nous! Attendri, je me suis amusé à regarder mon neveu et ma nièce s'affairer à ce que tout soit exemplaire, et j'ai détecté dans leurs gestes l'influence d'Alice et de Charles. L'on ne parle plus jamais des enfants en disant qu'ils sont le miracle de la vie; pourtant, s'il en est un, c'est celui-là! Et c'est bien malgré moi que j'y songe à chaque fois que je les vois.

Marie et Hélène m'ont présenté Arthur. C'est un homme intègre avec qui j'ai aimé discuter. Il n'a pas ménagé ses mots pour partager avec moi l'espoir et l'euphorie que Marie avait apportés dans sa vie et dans celle de sa sœur. Entre deux regards pleins de connivence que nous avait envoyés Marie, Arthur me résuma son existence depuis son accident. Il avait connu l'angoisse de frôler la mort, la perte de son autonomie physique, le rejet de l'amour, l'indifférence de ses collègues de travail et, malgré tout, il respirait la vie comme ce n'est pas permis. Cette résurrection, comme il s'amusait à la nommer, il l'attribuait à Marie et Hélène. Par moments, son discours me rappelait les expressions qu'employait la meilleure amie de ma mère, Mme Marier. Je ne fus donc pas surpris lorsqu'il évoqua que ma sœur Marie était une vraie sainte.

Un peu plus tard, j'ai retrouvé Gabrielle le long du bar. Assise sur un petit tabouret de cuir noir, sa robe rouge était étincelante. Au rythme de la soirée qui s'écoulait, Gabrielle plongeait lentement dans le vin. J'ai toujours raffolé des joues roses de ma sœur, sans être capable de me retenir de le lui rappeler. Affectueuse, elle passa sa main sur ma nuque. Un brin de tristesse avait pris naissance au coin de ses yeux lorsqu'elle me dit : « Il n'y a que papa et toi qui me parlez ainsi... »

Un peu à l'écart des autres invités, on s'est permis de ressasser quelques vieux souvenirs. La mort de nos parents n'était pas encore assez loin pour que toutes les vagues se soient estompées. Par pur besoin, on s'est laissé porter par les flots de nos émotions et nous avons tangué jusque sur la grève, près de la maison familiale. Là-bas, on s'est promenés de nouveau les pieds dans l'eau, nous avons chanté dans la balançoire, humé les fleurs le long de l'entrée, retrouvé les lilas et les grands ormes; si bien que nous avons presque entendu la voix de notre mère qui nous demandait d'entrer pour le souper.

Sans que Gabrielle ne l'ait remarqué, Louis, le nouvel homme de sa vie, s'était approché d'elle mais, nous voyant en pleines réminiscences familiales, il était reparti comme il était venu. C'était encore inhabituel pour moi de les voir ensemble. J'aurais souhaité que Gabrielle me parle un peu d'eux, mais elle préféra enchaîner sur Jean.

— Ça ne doit pas être facile d'aimer quelqu'un d'autre, après Jean Durivage... Il est tellement exceptionnel. Je ne connais personne tel que lui.

— J'apprends à oublier...

— ... Lui, il n'y parvient pas.

— Il y arrivera... Est-ce que tu le vois souvent?

— Toutes les fois que je vais chez Marie, je fais un détour par chez lui; même si je sais que ça le dérange.

— Pour quelles raisons t'obstines-tu alors?

— Simplement pour le revoir, entendre de nouveau sa voix pleine d'interrogations face à la vie, avoir de ses nouvelles et lui parler de toi.

— Est-ce qu'il te le demande?

— Jamais, mais je le fais quand même pour que le pont à franchir entre lui et toi soit moins long le jour où vous vous retrouverez. Marie n'ose pas t'en parler, car elle respecte ton choix. Pourtant, tout le monde sait dans la famille que Jean rumine sa déception. Avant, quand tu vivais avec lui les derniers mois, tu étais désorienté; maintenant, c'est à son tour. Je gage que tu sais même pas qu'il a commencé à boire dans l'avion en revenant de Vancouver, l'année passée, et que ça lui a pris six mois pour se dégriser. Il a eu des problèmes avec son travail parce qu'il s'absentait trop à cause de la boisson, et maintenant, sa santé lui en occasionne d'autres!

— Pourquoi me raconter tout ça?

— Parce qu'il est malade. Il ne digère plus rien. C'est pourtant simple à comprendre! C'est votre rupture qu'il ne digère pas. Il t'aime toujours...

— Es-tu certaine de ce que tu dis? Marie le voit souvent et elle ne m'en a jamais parlé.

— Ça ne devrait pas te surprendre, elle vient de la même famille que nous. Elle est respectueuse et silencieuse comme une marguerite.

— C'est vrai que je l'aime toujours, mais qu'est-ce que je peux faire? Il y a quelqu'un d'autre dans ma vie.

Il m'aime lui aussi, et il est capable de me le dire en me parlant d'avenir.

— L'un n'est pas forcément incompatible avec l'autre. Profites-en pendant que tu es à Québec... Téléphone à Jean.

— Je ne peux pas lui faire ça. Il m'a demandé de ne plus lui téléphoner...

— ... De ne plus lui téléphoner en provenance de Vancouver. Parce que, de là-bas, tu peux pas le voir, le toucher, le sentir, lui sauter dans les bras comme tu pourrais le faire facilement en dix minutes, si tu lui téléphonais à partir d'ici.

— Ça lui ferait du mal.

— Sûrement un peu lundi matin, quand tu vas embarquer dans l'avion, mais, d'ici ce temps-là, il pourrait être heureux de nouveau et reprendre contact avec ce qu'il était. C'est un homme profondément vivant, amoureux comme on n'en voit plus, mais il se laisse mourir lentement... De toute façon, tu l'aimes toujours et tu peux sans aucun doute rendre heureux deux hommes en même temps.

— Je ne crois pas...

— Ça prend pas tellement de temps pour qu'on s'y sente à l'aise, tu sais!

À mesure qu'elle me parlait, je percevais la métamorphose de la Gabrielle d'autrefois, qui nous avait dévoilé avec culpabilité qu'elle avait un amant, et celle d'aujourd'hui, qui semblait avouer qu'elle y avait pris du plaisir.

— Te souviens-tu de l'époque où tu t'étais exigé des années de cachette avant de vivre ton amour au grand jour?

— Je me sens moins coupable maintenant, d'en aimer deux à la fois, et je suis capable de t'en parler parce que tu ressens exactement la même chose que moi...

— Es-tu en train de me dire que tu as un

Avant de me répondre, elle jeta un coup d'œil circulaire autour de nous pour vérifier si l'on pouvait nous entendre.

— Est-ce que ça te surprendrait vraiment?

— Ben oui, tu disais tellement que tu avais Louis dans la peau.

— Je l'ai toujours, néanmoins ... Je te scandalise pas trop en te disant que j'ai un amant?

— Ça ne me choque pas... Je suis juste surpris...

— Il faut s'habituer à tout!

— Ça doit être plus facile la deuxième fois?

— Assurément... mais si je t'ai raconté tout ça, c'est pour t'indiquer le chemin à suivre. Quand on laisse un homme, c'est pas toujours parce qu'on ne l'aime plus. Je te comprends d'avoir toujours envie de Jean; moi aussi, j'ai vécu dix, onze ans en union et j'ai pas été à même de...

— Ton nouvel amant, c'est ton ex-mari?

— Peu importe qui il est... La vie se déroule rapidement et il n'y a que nous-mêmes qui pouvons organiser la célébration de nos fêtes; ce ne sont pas nos enfants qui vont organiser notre 25e anniversaire de mariage, alors qu'est-ce que t'attends pour contacter Jean? N'aie pas peur de faire ce que tu veux pour atteindre ton but. Fonce, écoute ton cœur, tes passions. C'est tout ce qu'on peut faire de notre vie!

J'ai d'abord téléphoné à Jean du manoir Mont- morency, puis je me suis rendu chez lui. Il n'était pas là, alors j'ai passé le reste de la nuit devant son appartement à attendre son retour, sans succès. Le lendemain soir, j'ai fait la même chose, et ce n'est que le lundi matin, sur la route de l'aéroport qu'Alice m'informa que Jean était parti pour une semaine à Montréal. On ne s'est pas étendus sur le sujet. Le temps devenait précieux et nous avions trop de choses à nous raconter. Pendant la fin de semaine trop vite terminée, l'intimité nécessaire pour que l'on puisse suffisamment se rassasier l'un de l'autre s'était faite trop rare, mais Alice promit de me visiter à Vancouver dans les mois suivants.

L'été et l'automne se succédèrent avec de nombreux appels, des lettres, des nouvelles de la grossesse de Marie, mais il n'y eut aucune visite de ma famille.

Comme si nous n'étions pas déjà suffisamment occupés, Seth et moi avions entrepris un nouvel entraînement dans un centre de conditionnement physique près de notre travail. À défaut d'un Dieu rassurant ou d'un quelconque pouvoir de changements sociaux efficaces, on s'est entêtés à s'endurcir, à changer ce que l'on pouvait changer. Seth demeurait à mes côtés sans m'interroger à propos de mon passé. Sur mon tatouage, comme sur les lettres d'Alice, il avait fermé les yeux et ne s'était permis en aucune occasion de rêver à haute voix de la saison où l'on vivrait sous le même toit. Le jour, il demeurait silencieux, mais la nuit, il hurlait dans son sommeil. Ses cauchemars étaient trop fréquents pour ne pas être significatifs. De plus en plus seuls dans notre petit monde clos, nous nous sommes efforcés d'être bons mutuellement.

Tel que souhaité par toute la famille, Marie accoucha le 25 décembre. Une émotion dans la voix, elle me téléphona de son lit d'hôpital pour m'annoncer que sa fille se prénommerait Suzanne.

À leur façon, mes trois sœurs parviennent à contourner les embûches de l'existence pour atteindre, malgré tout, leurs buts. En entendant le prénom de Suzanne, j'aurais voulu prier pour qu'une part de notre Suzanne de la rue Saint-Olivier reprenne vie dans le bébé de Marie et se prolonge à son tour, en nous fournissant des tonnes de petites Suzannes. Cette douce pensée m'a bercé une partie de l'hiver, et c'est au mois de mai qu'Alice me téléphona pour me faire part de son plan. Plutôt que de venir me visiter, elle m'apprit que Charles avait accumulé plusieurs points bonis avec une compagnie aérienne et qu'ils m'offraient les billets d'avion Vancouver-Montréal, Montréal-Paris. Elle savait que je connaissais et que j'aimais cette ville, et elle voulait la découvrir avec moi. Mes hésitations ne furent que de courte durée, et c'est à la première semaine de juin que nous nous sommes retrouvés dans un petit hôtel de la rue Madame, à deux pas des jardins du Luxembourg.

Nos racines familiales n'auraient jamais été aussi présentes si on s'était rencontrés à Vancouver. Alice avait raison, en nous promenant en France, nous nous sommes réapproprié certaines parties de nous-mêmes que nous avions oubliées. Avec elle, j'ai de nouveau goûté à l'instant présent. Le café se savourait à petites gorgées. Les gâteaux gigantesques fondaient dans la bouche. De l'île Saint-Louis en passant par la Sorbonne, pour finir *Aux deux Magots*, tout devenait envoûtant, accessible. Inlassablement, nos pas se suivaient et, si, au détour d'une rue, une statue attirait l'attention de l'un, l'autre était déjà là, à l'admirer. La plus petite expression populaire devenait un prétexte pour nous rapprocher, nous étreindre, nous moquer de nous-mêmes. Nos découvertes se faisaient sereines; la crainte de ne pas tout voir était étouffée. Dans le jardin du musée Rodin, Alice me fit remarquer le reflet d'une statue dans un bassin d'eau, la vigueur d'un bras sculpté dans le marbre, la façon dont la végétation était placée pour élargir la vision. Elle se disait comblée d'être là, d'en frissonner; et moi, j'étais heureux qu'elle soit présente à mes côtés. Plusieurs années auparavant, j'avais passé par les mêmes chemins sans y apprécier les mêmes saveurs. La poésie d'Alice teintait, embellissait et harmonisait notre voyage. Comme elle, je me suis laissé entraîner avec le même élan et la même émotion; alors, se posa sur nous une douceur incroyable. De là découlèrent nos émois, nos rires, pour se prolonger jusqu'à la nuit. Dans notre chambre d'hôtel si petite, nos lits jumeaux demeurèrent côte à côte pour que nos rêves s'entre-mêlent et qu'ils enracinent notre complicité dans les mêmes désirs.

Alice était la personne avec qui je pouvais le mieux discuter de mon père. Je la savais complice, autant que moi, du vieux rêve paternel de fouler un jour le sol du petit village d'où était parti notre ancêtre. Dans le train qui nous y emmenait, Alice me chuchota à l'oreille : « Nous sommes des privilégiés. » À mesure que défilait le paysage, je revoyais mon père remettre à plus tard son fameux voyage dans le village ancestral. Il connaissait sur le bout de ses doigts notre arbre généalogique et, à chacun de mes voyages en France, il m'avait demandé de m'y rendre. « Surtout, prends des photos! On dit que ça ressemble à chez nous... Au cœur du village, il y a une église à l'intérieur de laquelle on peut apercevoir un vitrail qui représente le départ des colonisateurs de notre pays; et l'un de ces hommes-là, c'est ton arrière, arrière, arrière-grand-père. Mon grand-oncle racontait qu'il existait aussi un petit musée érigé en l'honneur des colons français qui sont partis de cet endroit pour peupler l'Amérique. Si tu y vas, fais-moi plaisir, signe ton nom dans le registre pour toute la famille. »

Même si le village de Tourouvre n'était qu'à quelques heures de Paris, je lui disais, lors de mes retours d'Europe, que j'avais manqué de temps, que les églises ne m'intéressaient pas vraiment, que tout passe si vite en vacances mais que, sûrement, la prochaine fois, je ferais un petit détour. À ces moments-là, je ne comprenais pas encore que mon père espérait voyager par procuration et que jamais il n'irait lui-même sur les lieux de ses ancêtres. Il aura fallu qu'Alice me propose ce voyage pour que je m'y rende enfin.

Ces moments furent d'une grande intensité. L'esprit de notre père nous guida sur les petites routes de terre du village. Il nous en avait tellement parlé, que nous avions fini par croire qu'il y était déjà venu. Les moutons dans les champs, la couleur du blé et la force du vent étaient tels qu'il nous les avait décrits. C'est en discutant avec Alice, que nous avons réalisé qu'il s'agissait d'un rêve transmis de génération en génération. Notre grand-père l'avait entretenu comme son propre père avant lui, et ainsi de suite. La beauté des lieux correspondait à la mémoire de notre père : elle était inoubliable.

Après notre visite à l'église, c'est au musée que ma sœur fit connaissance avec un homme qui lui fournit l'adresse exacte de la maison d'où venait notre ancêtre. En la voyant, nous avons cru reconnaître celle de notre grand-père paternel. Il y avait d'abord le jardin : les buissons serrés étaient regroupés selon leur variété et la couleur des plantes s'amalgamait en teintes fines. Puis, près de la maison, venait le potager, traversé en son milieu par un chemin recouvert de roches plates. Tout au bout des rangées alignées poussait une haie de lilas si exubérante que, d'abord, on distinguait à peine la petite ouverture qui menait à l'arrière de la maison. Alice fut obligée de se baisser pour ne pas s'y prendre les cheveux. C'est à ce moment précis qu'elle aperçut la propriétaire des lieux, se reposant dans une balançoire alignée. Après s'être présentée, la vieille dame nous offrit de visiter l'intérieur de la maison. Elle était fière que l'on ait traversé l'Atlantique pour revenir à la source de notre famille et ne voulait pas nous décevoir.

Après la chaleur du jardin, l'air y paraissait frais. Le plan de la maison était simple. Au rez-de-chaussée se trouvaient la cuisine, la salle à manger et le salon; la chambre des parents et celles des enfants étaient à l'étage supérieur. Sur la table de la salle à manger, un vase en céramique contenait un bouquet de fleurs des champs parsemé de lys jaunes et blancs dont le pollen se déposait sur un napperon de dentelle, comme une poudre d'or. Des faisceaux de lumière traversaient l'air tranquille; dans leurs rayons, quelques grains de poussière exécutaient une danse légère. D'énormes poutres noircies par le temps traversaient le plafond de toutes les pièces. Dans la cuisine se trouvait un antique fourneau en fonte pourvu d'un four à foyer ouvert. Émoustillée par notre présence, la vieille propriétaire s'était placée près d'une fenêtre donnant sur la cour arrière pour nous transmettre tout ce qu'elle avait appris par cœur, sur le jeune homme parti il y a bien longtemps pour le Canada. La simplicité de son récit nous émut. Elle ressemblait à nos tantes.

Quand le carillon de l'horloge du salon se fit entendre, elle nous dit à regret qu'elle devait partir, mais nous offrit de demeurer encore quelques instants dans la cour après son départ. De la balançoire, nous lui avons envoyé la main une dernière fois avant de nous retrouver enfin en tête-à-tête chez notre ancêtre. En regardant droit devant nous, il était facile de comprendre pourquoi la balançoire était placée à cet endroit. À droite de la grande maison de pierre aux lucarnes jaunes, le champ de blé se présentait au loin comme un prolongement.

— Alice, comprends-tu comment papa pouvait connaître tout ça?

— Réalises-tu que notre ancêtre a traversé la mer pour retrouver un coin de pays comme celui-ci et qu'il s'est acharné à reproduire ce qu'il connaissait de mieux?

— Il n'a pas su se surpasser.

— C'est tellement beau ici...

— L'humain peut embellir la vie quand il s'en donne la peine.

— C'est facile de s'imaginer la déchirure et la fierté qu'ont dû ressentir les gens d'ici quand, un matin de septembre, l'un des leurs a emprunté la route sinueuse qui mène au port pour traverser l'Atlantique. Tu ne te souviens peut-être pas de la maison de nos grands-parents sur la côte de Sainte-Anne-de-Beaupré, pourtant, je t'assure que les gens et les lieux y ont la même générosité paisible et ordonnée. Je m'y revois un dimanche où l'on était arrivés tôt le matin, alors que grand-mère était à la messe. Derrière des fenêtres semblables à celles-ci, aidée de Gabrielle, j'ai tenu Marie dans mes bras pour qu'elle puisse surveiller le retour de grand-mère. Ce fut l'excitation, la joie, quand enfin elle est apparue à l'entrée du jardin. Comme elle était belle, avec son chapeau et sa robe à col de dentelle, elle inspirait le respect et la dignité. On aurait dit une grande dame venue d'un monde meilleur.

Alors que le repas était terminé, je suis demeurée à table avec papa et grand-mère. Elle en avait profité pour lui demander : « Te souviens-tu, Émile...? » Et papa, heureux d'être en sa présence, s'évada avec elle au pays des souvenirs. En les écoutant se raconter, j'ai remarqué qu'un sourire discret terminait en beauté chacune de leurs phrases. À mesure qu'ils se dévoilaient, une étincelle de bonheur brillait dans leur regard pétillant. Je me suis promis que ma vie leur ressemblerait. Une crainte de les décevoir me suit pourtant.

— Tu y es parvenue!

— Je n'en suis pas certaine...

— Comme eux, tu te souviens et, comme eux, tes yeux sont remplis de bonheur quand tu en parles.

— C'est bien peu...

— Ta bouche, ton cœur et tes gestes quotidiens sont imbibés de leurs valeurs droites et justes.

— Ce n'est pas toujours éclatant!

— Ta vie ressemble à ce que tu voulais qu'elle soit, alors apprends à l'aimer comme papa et grand-mère l'ont fait pour eux-mêmes. Papa reconnaissait en toi la fibre des gens honnêtes qui réconforte et il t'admirait pour ça. L'ordre et la beauté teintée d'or que tu apprécies ici se retrouvent chez toi aussi. Les reconnais-tu?

— Bien sûr, il y a le jardin, la maison de pierre...

— Et le ciment... Un jour où tu nous avais invités chez toi, pendant que la plupart des gens prenaient une collation sur la pelouse sous les arbres, papa, toi et moi avions décidé de nous promener autour de ta maison. Je m'intéressais aux pierres qui composaient les murs de la maison et aux lierres qui les recouvraient en partie. Tu nous montrais de nouveaux arbustes et papa nous fit remarquer l'indispensable : « Ce qui mérite surtout notre admiration, mais qu'on ne remarque plus, c'est le travail du mortier pour joindre et unir ce qui n'était qu'un amas de pierres au point de départ. Pour ce mur, il a fallu un ciment fort sur lequel on pouvait appuyer ces pierres. Une construction de cette qualité exige une logique, une patience, une détermination; il faut savoir en apprécier la qualité sans l'oublier. Sans lui, la quiétude de cette maison serait en péril. Il y a des choses et des gens que l'on ne sait plus reconnaître, tellement ils sont à la base de l'essentiel. »

Papa avait utilisé sa voix du dimanche, douce et chaude, qu'il n'employait que pour dire les choses importantes. Il avait détourné son regard de la maison et te regardait avec respect parce que tu étais, à ses yeux, ce lien essentiel. Pour te parler d'amour, il avait choisi les mots les plus simples pour qu'ils puissent se déposer et s'imprégner sur ta peau. La douceur enveloppante de son regard sur toi disait mieux que n'importe quels mots que, malgré le fait que tu sois devenue une femme, une épouse, une mère, tu serais toujours sa fille, sa grande avec qui il aimait marcher côte à côte le long de la grève, sur la terrasse Dufferin, ou sur n'importe quelle avenue où tu choisirais d'aller.

Comme le sien, sur la route vallonneuse bordée de fleurs sauvages, mon pas s'est fait tendresse. Sous le ciel bleu, immense, Alice me transmit le goût d'être simplement bien près d'elle, sans parler, tout comme notre père l'avait fait tant de fois. Ce n'est que dans le train du retour, qu'elle se permit de briser notre silence magique : « Savais-tu que papa disait de toi que tu étais semblable à un ruisseau qui peut se glisser sous la terre à l'occasion pour mieux réapparaître un peu plus loin et finir par alimenter le fleuve qui porte les navires? »

***

Dans l'avion entre Montréal et Vancouver, certains moments du voyage, dont j'avais été le seul témoin, me revinrent à l'esprit. Il y avait des émotions qu'Alice ne savait que vivre. L'amour faisait partie de celles-là. Les mots lui manquaient quand il s'agissait d'en parler. Il me fallait la côtoyer pour la revoir comme elle était dans mon enfance quand elle se faisait belle pour recevoir « son » Charles. Dans notre chambre d'hôtel de la rue Madame, elle avait attendu fébrilement les appels que Charles lui faisait tous les deux jours. Un seul coup de sonnette suffisait. Elle se tenait sur le bout des pieds, en équilibre sur le rebord du lit, ses deux mains tenaient le récepteur comme s'il avait été l'objet le plus précieux de la terre. À chaque fois, elle devenait bouleversée d'entendre la voix de Charles. Elle replaçait nerveusement sa coiffure en lui parlant et adressait ses plus beaux sourires au téléphone noir. Pour elle, le reste du monde ne comptait plus. Tout ce qui demeurait, c'était Alice, recroquevillée dans le coin de notre chambre d'hôtel, et Charles, au bout de l'île d'Orléans, qui lui parlait. D'un bord à l'autre de l'Atlantique, ils buvaient les paroles de l'autre comme l'on boit un élixir, un remède contre le mal de vivre.

Satisfaite de n'avoir perdu aucune des paroles de Charles, une beauté toute fraîche demeurait sur le visage d'Alice, même longtemps après leurs appels. Elle me disait candidement : « C'était Charles! » et moi, je pensais : « C'est l'homme de ta vie. »

Dans le magasin *Au Printemps* de Paris, elle avait choisi avec soin le foulard parfait pour Charles. Elle avait pris plusieurs photos du voyage afin qu'il puisse apprécier à son tour la beauté des lieux et, avant de le revoir à l'aéroport, elle avait rafraîchi son maquillage dans l'avion.

Après son départ, entre Montréal et Vancouver, je me suis retrouvé seul. Une partie du bien-être qui nous avait suivis pendant le voyage, et que nous avions su palper du bout des doigts, s'était envolée avec elle. C'est alors que j'ai songé à Seth qui devait se préparer à venir m'accueillir à l'aéroport. Avec tristesse, j'ai dû m'admettre que, pendant tout ce temps, je l'avais oublié.

Le blé desséché brûle rapidement

Tel que prévu, Seth m'attendait à l'aéroport. En me voyant, il s'avança pour me serrer la main. Sa peur d'être lui-même en public lui interdisait toute démonstration particulièrement affectueuse. Nous nous sommes donc comportés, encore une fois, comme deux collègues de travail. En se dirigeant vers la sortie, je lui ai demandé s'il était heureux de me revoir. Sans me regarder, car il avait perçu mon agacement, il accéléra son pas et me dit : « *Even if I want to, and God knows I do, I can't hold you tight in public and tell you the soft words you want to hear. You understand, don't you? ** »

Dans sa voiture qui me ramenait chez moi, je lui ai exposé comment il m'était difficile de lui accorder une place importante dans ma vie, puisque lui-même se mettait à l'écart de la sienne. Sa manie de s'oublier lui-même m'avait amené à l'oublier moi aussi. Seth ne savait quoi répondre et balbutiait : « *I'll change, I'm on the edge...* »

Par respect pour lui, parce qu'il méritait mieux que le sentiment tiède que j'avais à lui offrir, je lui ai suggéré de transformer notre relation en amitié. Comme pour toutes les autres propositions que je lui avais faites depuis le début de notre relation, qu'il fût question de cinéma, de voyage ou de rupture, sa réponse demeurait la même : *yes.*

---

* « Même si je le veux, et Dieu sait que je le veux, je ne peux pas te serrer tout contre moi en public et te dire les mots tendres que tu veux entendre. Tu me comprends, n'est-ce pas ? »

En silence, j'étais monté seul à mon appartement. J'ai défait ma valise tranquillement, arrosé mes plantes et classé mon courrier sans être bouleversé à outrance. La conviction d'avoir été honnête m'apaisait. Avant de me coucher, je suis sorti sur le balcon pour regarder la mer s'ouvrir au loin. Elle était calme, à l'image de Seth qui se présenta, le lendemain, au travail, sans afficher l'ombre d'une vague, d'un remous ou d'une quelconque tempête.

Comme à tous les 25 juin, je me suis préparé le mercredi soir suivant pour me rendre à la tour prendre une vodka jus d'orange à la santé de Jean. Mon intention n'était pas de la boire à notre amour, puisque j'étais toujours sans nouvelles de lui, mais plus simplement de lever mon verre à sa santé. Marie m'avait confirmé les paroles de Gabrielle, Jean était bel et bien malade. Selon ses propres paroles, Jean avait subi une opération au cours de l'hiver. Les médecins avaient détecté une tumeur cancéreuse au niveau de ses intestins, mais Marie m'assurait qu'il reprenait graduellement du mieux.

Je m'apprêtais à partir quand Seth sonna à ma porte, comme deux ans auparavant. Il voulait m'inviter à prendre un lunch chez lui afin de terminer la soirée en beauté. Le plus amicalement du monde, j'ai décliné son invitation en prétextant que j'avais déjà autre chose de prévu. Il n'insista d'aucune façon et ne manifesta nulle contrariété. Sur le trottoir près de chez moi, alors que je marchais d'un pas empressé, il est passé dans sa voiture et m'a envoyé la main. Une autre étape commençait. Comme je l'avais souhaité, une amitié prenait forme entre nous. Nous serions de nouveau significatifs l'un pour l'autre, bons, comme on le méritait!

***

Exceptionnellement, Seth s'est absenté du bureau le lendemain. En fin d'après-midi, j'ai téléphoné chez lui, sans obtenir de réponse. Concluant qu'il n'était pas malade, j'ai songé à sa peine. Elle m'apparaissait comme une blessure, un tourment qui lui aurait enlevé toutes paroles possibles. Alors, une fois mes rencontres de la journée terminées, je me suis dirigé vers son appartement. Pour trouver le courage d'affronter ses yeux rouges posés sur moi, j'ai fait un long détour par la marina. Des hommes enroulaient les voiles de leur bateau avec soin. La plage était splendide avec les reflets du coucher de soleil. Quelques outardes passèrent près de moi avec innocence. Plus puissante que ma crainte d'avoir blessé Seth, la nature me redonna des forces. Devant son immeuble massif et impeccable de propreté, une confiance nouvelle m'habitait et je me souviens d'avoir rigolé intérieurement en songeant à mon inquiétude. Seth le raisonnable avait probablement décidé de profiter du soleil de la journée. Comme je m'en doutais, il ne répondit pas au tintement de la sonnette mais, en posant l'oreille à la porte d'entrée de son appartement, j'ai entendu de la musique. Il s'agissait de la chanson *BLACK* de Sarah McLachlan. Nous aimions particulièrement cette pièce; elle nous rappelait nos premiers moments... Alors, je me suis senti de nouveau inquiet. J'ai utilisé ma clef et je me suis retrouvé dans son grand salon vitré. Tout y était parfaitement à l'ordre. La fonction *« repeat »* de son lecteur de disques compacts était en activité. Sur sa table de salle à manger, une nappe, des chandelles et la vaisselle étaient disposées. À l'endroit que j'avais l'habitude d'occuper, une lettre adressée à mon nom était placée en évidence.

« Dear Félix,
June 25th 1992. My love, today is our anniversary, remember? Two years ago was the first night we spent together, but you chose to be alone on this day. You'd rather dream of someone else, someone who isn't even near you, but who's more significant to you than I. You still love him, I still love you. I love you more than life itself, and my love will survive us both. *
Seth »

Le temps d'un gémissement, mon front s'est couvert de sueur et j'ai distingué, malgré les rideaux fermés de sa chambre, son corps sur le lit. Le poing gauche ramené sur son ventre, il était mort dans un mouvement de convulsion. Machinalement, j'ai contacté les ambulanciers, puis je suis revenu m'allonger dans la pénombre le long de son corps. Le plus attentivement du monde, j'ai scruté du regard ses cheveux défaits, sa bouche crispée de douleur, ses yeux éteints, la couleur blafarde de sa peau. Il était l'image même du malheur; malgré tout, j'ai désiré m'en imprégner, conserver quelque chose de lui. Le garder avec moi. Alors, sans aucune

* « Cher Félix, Le 25 juin 1992. Mon amour, c'est notre anniversaire aujourd'hui. Tu te souviens ? Nous avons passé notre première nuit ensemble il y a deux ans, mais tu as préféré être seul en ce jour et rêver à quelqu'un d'autre, à quelqu'un qui n'est pas près de toi mais qui plus important pour toi que moi. Tu l'aimes encore et moi, je t'aime toujours. Je t'aime plus que la vie et mon amour nous survivra. »

retenue, j'ai enfoncé mon visage dans sa main droite demeurée ouverte et j'ai appuyé le plus fort que j'ai pu pour qu'il laisse sa trace sur moi, sa marque à lui.

***

Dans une section située à l'extérieur de la clôture du cimetière, Seth fut enterré de la façon la plus discrète qui soit. Je ne sais si c'est l'homosexualité ou le suicide de leur fils qui motiva le choix de ses parents de déposer sa dépouille parmi les impurs mais, le jour de son enterrement, un murmure planait au-dessus des gens qui s'étaient regroupés autour de sa tombe : « *One does not transgress a divine principle.* * »

Après le service religieux, pour me retrouver un peu dans l'intimité de Seth, je suis retourné sur la grève où je l'avais vu tant de fois faire son jogging. La marée montante recouvrait toutes les roches et mettait en relief l'errance d'un petit bateau noir qui semblait vouloir se cacher sous l'eau. Son manque de contrôle me causa un malaise. Ironiquement, le soleil recouvrait la plage d'une lumière blanche. Des gens s'étaient regroupés pour terminer les préparatifs de la fête du Canada. On disait de l'événement qu'il serait remarquable, mémorable. Leur enthousiasme me devenait insupportable, déplacé. Je n'avais plus que le choix de partir. Même à la plage, je n'avais plus ma place.

* « L'on ne doit jamais s'opposer à un principe divin. »

– 13 –

L'amour de l'autre est un rempart contre soi-même
– 1993 –

Pour oublier qu'il y a des jours et des nuits qui n'ont pas de sens, je me suis lancé dans mon travail et consacré les quelques heures de vie privée qu'il me restait en prenant soin de Mario. Après s'être battu des mois durant pour conserver la maison qu'il avait achetée et habitée avec Greg pendant huit ans, il avait dû la mettre en vente pour donner la moitié de sa valeur monétaire aux parents de Greg. Même un testament manuscrit laissé par Greg n'avait eu aucun poids dans la balance des lois où l'on ne reconnaît toujours pas le conjoint de même sexe comme héritier. Ulcéré par le comportement des parents de Greg, de qui il se croyait aimé, il avait emménagé dans un petit logement du centre-ville, et c'est là que ses problèmes de santé avaient commencé. Il souffrit d'abord d'un zona, puis de deux pneumonies consécutives et, finalement, il perdit la vue. Je savais que la vie pouvait être injuste, mais rien auparavant ne m'était apparu aussi révoltant qu'un graphiste de talent qui devient aveugle. Si cette perte avait profité à l'humanité d'une quelconque façon, j'aurais peut-être mieux encaissé le coup; mais non, comme le reste de sa souffrance, tout demeurait gratuit, inacceptable. L'affectueux Mario, qui aimait tant se promener dans les bois, a vécu cette période de sa vie entre les mains des médecins et des infirmières qui le guidèrent dans des couloirs d'hôpitaux et l'entraînèrent derrière des portes lourdes où tout lui semblait de plus en plus sombre, impersonnel et sans espoir. À sa demande pourtant, pour calmer ses inquiétudes à mon sujet, j'avais accepté de rencontrer un médecin pour un examen complet. Il m'avait aussi demandé de lui faire la lecture de romans francophones. Avec Gabrielle Roy, Yves Thériault, Robert Lalonde et Michel Tremblay, nous avons connu des moments de paix où il pouvait s'évader, quitter les salles d'urgence, traverser des rivières, conserver des secrets, tomber en amour, et revoir, comme s'il y était, les feuilles rouges et oranges d'automne que les romans décrivaient. Mario attribuait son bonheur à l'effet des médicaments qui le troublaient et amplifiaient ses émotions. Je le rassurais en lui disant que je savourais les mêmes sensations et qu'il n'était question que du talent des auteurs, et de la puissance des mots qu'ils choisissaient. Satisfait, il s'endormait dans sa jaquette aseptisée, dans sa chambre d'hôpital terne.

Toutes les chambres d'hôpital où j'ai rendu visite à Mario étaient déprimantes et envahies par l'odeur des médicaments. Pour contrer la mélancolie, je lui avais acheté un lecteur de disques compacts portatif avec casque d'écoute et de nombreuses bouteilles de parfum pour homme. Le scénario était sensiblement toujours le même lorsque j'arrivais dans sa chambre; il s'était endormi avec les écouteurs sur les oreilles et la musique se répandait faiblement autour de lui pour le protéger, l'isoler de la morosité des lieux. Alors, je m'asseyais près de lui dans le lit et lui enlevais le casque.

— *Who is this?*

— C'est encore moi, Félix. Est-ce que ça va? Veux-tu dormir un peu plus?

— Non, non. C'était juste un p'tit somme. Ça va comme tu veux?

— Oui.

— Oui, comme d'habitude depuis des mois...

— Ça va aussi bien que ça peut aller! Et toi?

— C'est dommage que je ne sois pas un peu plus en forme, parce que je te demanderais de me faire courir dans le parc Stanley, comme t'avais fait avec Seth pour le « pauvre » aveugle que t'avais rencontré à la plage... Ça te fait-tu sourire?

— Ben, oui...

— Ça paraît pas!

— Qu'est-ce qui paraît pas?

— Ta supposée joie de vivre de gars qui dit toujours que ça va bien!

— Veux-tu que je te parle de mon travail?

— Merci, c'est un chapitre que je connais par cœur.

— Qu'est-ce que t'as aujourd'hui?

— Aujourd'hui? J'ai eu le temps de penser à toi et je me suis dit que, si je te brassais pas avant de partir, tu viendrais me rejoindre rapidement d'l'autre bord. Y'a pu personne autour de toi pour te secouer comme tes parents ou Jean le faisaient... Et tu risques d'être encore plus seul dans pas longtemps!

— Parle pas comme ça...

— Il arrive un temps où ça ne sert plus à rien de mentir. Quand est-ce que tu vas y arriver?

— Qu'est-ce que t'as mangé pour parler de même?

— Il ne nous reste plus beaucoup de temps pour être ensemble. Pourquoi on n'en profiterait pas?

— Je viens te voir à tous les jours...

— ... Pour éviter de te retrouver en face de ta vie!

— Je fais ce que je peux. Si je viens ici, c'est parce que je t'aime. C'est toi, mon vieil ami...

— ... Que tu gardes à l'écart de ce qui te concerne!

— Pas plus que je ne le fais avec moi-même!

— Donne-nous une chance. Dis-moi ce qui ne va pas.

— J'sais pas par quel bout commencer. J'ai mal partout, mais le médecin dit que je suis en pleine forme et que je vais sûrement vivre jusqu'à quatre-vingts ans. Penses-tu que c'est une bonne nouvelle?

— Tu as eu tes résultats. T'as rien? T'as pas le sida? Bon, une bonne chose de réglée!

— Mario, j'aimerais discuter d'autre chose maintenant. D'accord?

— Ça fait pas ton affaire?

— Si tu veux que je reste poli, tu serais mieux de changer de discours parce que la beurrée risque d'être épaisse, et tu es la dernière personne au monde à qui je voudrais la faire manger.

— Parce que je vais partir et que toi, tu vas rester?

— Peut-être!

— Es-tu devenu aussi fuyant que Seth, même avec moi?

— Si tu prononces encore son nom, je m'en vais.

— À l'autre bout de la ville, tu l'entendrais encore dans tes oreilles. Ça fait déjà six mois qu'il est mort. Parles-en donc!

— Je suis jaloux! C'est ça que tu veux entendre? Tout le monde s'en va et moi, je reste. Je suis rendu comme un p'tit vieux qui parle avec des morts. Non, c'était pas une bonne nouvelle pour moi quand le médecin m'a confirmé que tout était parfait. Je suis sorti de son cabinet dans le même état d'esprit qu'un gars heureux de vivre serait sorti en venant d'apprendre qu'il était en phase terminale. J'ai marché encore plus lentement que ces derniers mois, en traversant les rues pour venir te rejoindre, mais y'a toujours pas de maudit camion qui m'a frappé. Je suis encore là. Es-tu content, Mario?

— Oui, et je penserais peut-être la même chose que toi si j'étais à ta place.

— Tu es chanceux, tu vas partir bientôt, mais moi, j'ai encore des milliers de matins à me lever en me disant que je suis un dégueulasse et à me coucher en me répétant la même chose. Trouves-tu ça intéressant? Ça vaut-tu la peine d'être vécue, une vie pareille?

— Tu n'es qu'un élément dans la mort de Seth.

— Un sacré gros, tu veux dire! Le 25 juin, quand il est parti de chez moi, il s'est rendu directement à la pharmacie de son père pour se procurer des médicaments et, tout de suite après, il est entré chez lui pour se suicider. Je peux pas nier qu'il y a un lien.

— Non, mais...

— Quand on avait vingt ans, je pensais que j'étais un fruit, un cadeau, et je ne me gênais pas trop pour aller au-devant des gens que je voulais charmer. Mais, maintenant, j'ai compris que je porte malheur. J'ai laissé mes deux premiers *chums*; j'ai laissé Jean, qui a développé un cancer, puis j'ai laissé Seth, qui s'est suicidé... Ne me demande pas de me convaincre que je n'y suis pour rien! C'est difficile de croire que je puisse avoir un avenir, alors que mon passé disparaît. Ma vie est faite de combats stériles où je suis devenu perdant. J'aimerais souffrir moins et être capable d'aimer mieux.

Il n'y a plus de place en moi pour les rêves; ils me font mal. Tout me tape sur les nerfs. La gentillesse du personnel de l'hôpital me donne le goût de les battre. Ils ne me regardent pas dans les corridors, mais deviennent tout mielleux devant un mourant qu'ils ne connaissent même pas. On devrait mourir comme on a vécu. J'espère que je ne me retrouverai jamais ici, bien entouré de gens charmants, alors que j'aurai passé la moitié de ma vie seul comme un chien.

— Tu n'es pas seul.

— Je serai bientôt seul. J'ai fait le vide autour de moi. Les problèmes personnels d'autrui n'intéressent personne. Je mens à Juliette et Jim en leur disant que je reçois à l'occasion des nouvelles de Jean et de mes sœurs. J'ai pas encore été capable d'avouer à mes sœurs la mort de Seth. Tout devient faux autour de moi et c'est de ma faute! Je m'enfonce dans une mer de solitude... Si la vie est un grand *party*, je dirais qu'il faut s'en retirer avant de s'en lasser, avant d'ennuyer les autres fêtards.

— Jean n'est pas mort, à ce que je sache, et Seth l'était déjà avant de te connaître... Il voulait trop être parfait pour pouvoir être heureux, ou tout simplement vivant. Pourquoi tu téléphonerais pas à Québec?

— Jean n'est pas une bouée de sauvetage.

— Mais tu étais heureux avec lui.

— J'étais rassuré par l'habitude, alors ma vigilance s'est endormie, et j'ai fini par considérer son amour comme une habitude. Avec lui, j'étais dans un rêve... En fait, ça faisait mon affaire de ne pas penser. Il était ma douceur, ma protection contre l'absurdité de la vie. C'était plus facile de m'occuper de lui que de moi.

L'amour, c'est la drogue des lâches... Quand j'aurai réglé mes problèmes, alors peut-être que je prendrai contact avec lui. Mais avant, je dois comprendre ce qui s'est passé. Il y a sûrement des paroles que j'ai dites et des gestes que je n'aurais pas dû faire, mais je ne sais pas lesquels. J'envie les amnésiques qui n'ont plus à se souvenir qu'ils doivent oublier leur passé.

— Le mal que tu traînes en toi était là bien avant la mort de Seth. C'est pas de te souvenir qui te fait mal, c'est de t'en sentir coupable.

— Justement, mes remords me suivent à la trace. Comprends donc que je ne veux plus d'amour. Je ne veux plus blesser personne et me répéter encore une fois que je suis responsable de leur malheur. Je préfère me sentir vide que pourri. Ma culpabilité ne pourrait en prendre encore, Mario.

— Tu te crois responsable de trop de choses... Je parie que tu te hais d'être en pleine forme, alors que je suis dans cet état.

— Mario, c'est toi qui as du talent, qui sais aimer sans blesser et qui m'as réconforté quand j'en ai eu besoin. Tu es meilleur que moi, mais c'est toi que la mort vient chercher. Les deux années que tu as passées à apprendre le chinois, ne t'auront servi à rien; tu n'iras jamais en Chine et c'est ça que je trouve épouvantable. On n'a pas le droit de tuer l'espoir des gens. Ta tendresse va tellement me manquer, alors que je suis incapable d'en ressentir. Cet après-midi, quand le docteur m'a dit que je connaîtrais une belle vieillesse, je me suis revu te dire que la mort faisait partie de la vie et je me suis trouvé ridicule. Combien de fois ai-je prononcé des formules toutes faites, comme celle-là, au lieu de me révolter? Non, c'était pas normal de mourir à vingt-sept ou à trente-deux ans, mais je l'ai dit quand même. Probablement juste pour rationaliser la situation et contrôler le contexte, mais je me trompais. C'est pas avec toi que je vais faire le décompte de ceux qui sont morts autour de nous. Tu dois commencer à être fatigué de m'entendre. D'ailleurs, moi aussi, je suis épuisé d'avoir été naïf au point de m'être déjà comparé à un navire sur le fleuve, tandis que je ne suis qu'un marin qui ne sait même pas nager. Le médecin a beau dire n'importe quoi, c'est moi maintenant qui me sens anormal d'être en pleine forme. J'avais pas plus de potentiel ou d'idéaux qu'un autre pour me retrouver là. C'est indécent.

— Tu pourrais peut-être...

— Pour pouvoir, il faut être naïf, il faut de l'espoir. J'en n'ai plus beaucoup. Toi, qu'est-ce qui te pousse à continuer? Tu pourrais t'abandonner dans ton sommeil sans avoir l'impression d'avoir démissionné. Mais non, tu préfères continuer et trouver le temps de t'occuper de mes affaires. Pourquoi tu fais ça? Sur ta table de chevet, il y a le sirop au goût de framboise que tu aimes tant, pourquoi tu n'as jamais demandé d'augmenter la dose pour aller rejoindre Greg au plus vite?

— Parce que Greg est mort, Félix. Il ne vit que dans mon cœur. On veut disparaître, Greg et moi, sans s'en apercevoir, à un moment où la lumière sera feutrée de brume. Tant que je suis là, on est encore ensemble.

— C'est le médecin qui décide, nous sommes les nouveaux martyrs... L'enfer, c'est ici!

— Arrête! Je sais ce que tu veux dire, mais je ne peux résoudre toutes tes belles grandes questions philosophiques sur la vie et la mort; je veux continuer parce que je suis là, c'est tout! La terre, c'est pas le paradis ou l'enfer, c'est un genre de... purgatoire, si tu veux. C'est pas grand-chose parfois, mais ici j'ai encore la possibilité de te parler comme je le veux. Je ne suis pas convaincu que de l'autre côté, je pourrai encore t'être utile. Tu ne me comprendras peut-être pas, mais j'ai le goût d'espérer dans le noir toute la journée de demain, que tu reviennes me visiter après ton travail et que tu me lises la suite de mon roman. C'est pas très profond, mais c'est tellement spontané que ça doit être suffisant pour te clouer le bec.

— Je m'excuse...

— Excuse-toi pas, mais couche-toi de bonne heure et arrête de sauter des repas. S'il y a une chose qui me dégoûte, moi, c'est quand on méprise la santé. Tu aimais être en amour, redeviens-le et profites-en. Fais-lui en voir de toutes les couleurs, parle-lui avec les yeux, regarde-le de près, de loin, de tous les côtés, regarde-le pour qu'il se sente unique au monde et qu'il comprenne qu'il est l'objectif de ta vie...

Sans s'arrêter de parler, il me laissa lui embrasser le front, les joues, puis ses yeux inutiles et vitreux. Il me parlait de ses rêves plus que des miens. J'aurais donné ma vie pour lui.

— ... Le désir est le meilleur rempart contre la mort. Tu as besoin du sentiment amoureux pour te protéger d'elle, car elle s'enroule comme un linceul autour de toi. Progressivement, lentement, la mort t'isole et te laisse seul dans ton beau condo où tu t'enterres vivant. Accepte de faire des erreurs, il faut parfois se perdre pour se retrouver...

— Depuis quand tu parles comme mes parents?

— Ça doit être les médicaments... Y sont tellement bons! Blague à part, j'ai hâte que tu rencontres quelqu'un qui te donne le goût de faire des choses pour lui, des concessions, de poser des gestes que t'aurais jamais faits sans lui. C'est moins dommageable d'être meurtri, blessé par la vie, que de ne plus croire en elle. Apprends à lui faire confiance de nouveau. Penses-y. Souviens-toi de ce que tu étais quand tu étais en amour.

— Tu viens d'y mettre assez d'énergie pour que j'y songe un petit bout de temps. Ça va un peu mieux... Est-ce que tu voudrais que je t'apporte quelque chose de spécial demain?

— Tu vas quand même pas me laisser comme ça, tout seul dans le noir?

— J'peux pas y faire grand chose...

— Tu m'as toujours dit que tu aimais apprendre. Je pense que tu n'es pas près de mourir parce qu'il te reste encore bien des choses à comprendre. Tu pourrais mettre un peu de lumière dans ma vie avant d'aller te coucher, espèce de sans-cœur! (Il se moquait de moi avec satisfaction.) Tu es capable de faire courir un aveugle sur une plage, mais tu laisses ton vieil ami sur ses attentes de la journée. C'est pas gentil, ça!

— Bon, qu'est-ce que tu veux au juste, mon beau?

— Que tu continues tout bonnement ce que tu as arrêté hier. Rien de plus. J'espère que tu te souviens où tu as rangé *Les Chroniques du plateau Mont-Royal*, sinon, c'est moi qui vais te tuer!

***

Pour m'aider à tourner la page sur le décès de Seth et ne plus revoir son visage partout autour de moi dans mon appartement, j'ai suivi les conseils de Mario qui me suggérait de m'asseoir à la place qu'il occupait à la table, de me coucher là où il dormait. « Quand tu seras à sa place à lui, c'est la tienne qui te semblera vide... Ça va t'aider à rétrécir le manque de l'autre. C'est simple, mais efficace. J'ai fait la même chose après la mort de Greg... »

Par la suite, j'ai repeint mon appartement et recommencé mon conditionnement physique. Par ailleurs, j'avais progressivement cessé d'écrire à Alice, ainsi qu'aux autres. J'éprouvais à ce point l'urgence de me fuir moi-même qu'il m'était devenu impossible d'écrire quoi que ce soit d'intime. Mon sentiment d'être facultatif dans la vie de mes sœurs se transforma en la certitude d'être inutile pour elles. Malgré tout, j'espérais un appel, une lettre, qui m'aurait justifié d'être là. Mais il n'y eut rien. Alors, un soir de pluie, comme il y en a tant d'autres à Vancouver, je me suis rendu dans les bars et suis revenu chez moi aux petites heures du matin, accompagné d'un homme dont je n'avais su résister au charme. Après lui, il y en eut un autre, puis, avec un peu moins de passion à chaque fois, d'autres encore les semaines suivantes. Des touristes, des hommes mariés, des gars perdus mais beaux comme des cœurs, en compagnie desquels j'ai appris à multiplier et subdiviser mes fantaisies. Chacun à leur façon, ils m'ont attiré vers eux avec ce qu'ils avaient à offrir. L'autorité de l'un, l'insouciance de l'autre; je fus surpris de m'adapter à autant de différences. Pourtant, c'était toujours la raison même qui m'avait poussé vers l'un, qui me commandait par la suite de le laisser. Malgré leur bon vouloir, je me lassais rapidement d'eux. Les difficultés que j'éprouvais à les fréquenter avaient davantage affaire avec mon passé toujours sans réponse qu'avec leurs demandes bien légitimes, simples et parfois drôles. En peu de temps, je me suis vu devenir insatisfait, perpétuellement à la recherche d'un absolu intérieur, que je fuyais pourtant. Mario me reprochait de les comparer à Jean. Je me souviens lui avoir répondu sincèrement : « Pourquoi est-ce que je poursuivrais une relation, alors qu'elle m'apporte, dès le départ, moins que ce que j'avais avec Jean... et que j'ai laissé malgré tout? Autant ne pas m'attarder avec eux. Ça limite les dégâts! Pourquoi fournir l'effort de négocier, de s'adapter à l'autre puisque, de toute façon, dans cinq mois, dans dix ans, je vais les laisser? » En poursuivant ma quête, ma recherche d'une paix quelconque, je me suis senti perdant comme bien des hommes qui ont réduit l'amour au simple jeu de la séduction.

D'après ce que j'avais compris des paroles de Jean-Paul Sartre, l'enfer, c'était le regard d'autrui sur soi; avec amertume, je me couchais seul dans le lit que je m'étais fait, et me répétais qu'il s'était en partie trompé, que l'enfer provenait surtout du regard de soi posé sur soi. Les ruptures d'une semaine n'intéressant personne, j'avais appris à me taire et à encaisser les coups à mes propres dépens. Une souffrance s'imposait malgré tout à moi, et ma culpabilité augmentait chaque fois que je quittais les bras d'un homme pour ne plus y revenir. En plus de me sentir inutile, pour la première fois de ma vie, le mot « nuisible » s'était incrusté dans mon front, telle une étiquette. Vivre seul dans un condo et rêver d'un homme, puis d'un autre, sans vraiment les connaître, ce n'était pas ce que j'avais planifié pour ma vie. Sans lien privilégié dont je pouvais être fier, je me présentais à moi-même, en me regardant dans le miroir le matin et je me disais : « Tu n'es qu'un consommateur de biens et de services. Tu n'es indispensable à personne. Vide des boîtes de conserve, achète des disques compacts, c'est ce que tu sais faire de mieux, de moins dommageable! »

Dans mes déboires amoureux, j'avais la conviction de meurtrir des hommes dont les sentiments à mon égard n'étaient pas dénués de bonnes intentions. J'entretenais l'espoir que la foudre me tombe dessus un soir de pluie où je serais rentré chez moi, le corps imprégné des odeurs d'un homme que j'aurais à peine connu.

Mario ne connaissait que peu de choses de mes aventures, mais il en comprenait suffisamment pour ressentir le besoin de me servir un autre sermon. C'était à la fin du mois d'octobre, j'étirais tant bien que mal mon été de *« partys »* et ma susceptibilité était à fleur de peau ce soir-là. Je ne revois de cette scène que sa main droite qui me cherchait pour me retenir près de lui, quand je lui ai lancé ces mots avant de claquer la porte : « Je ne ressens plus rien. Je n'ai plus qu'un trou à la place du cœur. De toute façon, l'amour finit toujours par tuer la vie, les rayons de soleil jaunes, l'espoir. »

Seul devant l'hôpital, j'aurais aimé être un alcoolique pour me soûler toute la nuit, me défouler et, surtout, ne plus penser à rien. Alors, je me suis rendu dans un sauna, que l'on disait très fréquenté par les Asiatiques, et, davantage motivé par le désir d'en finir que par le plaisir, j'ai attendu dans le noir de ma cabine que la vie laisse sur moi la mort.

– 14 –
La rivière

Au début des années 1980, lorsque Jean me parlait de la mort, c'était en la comparant à une rivière que l'on entend d'abord avant de l'apercevoir, quand on marche dans une forêt. Pour reprendre sa métaphore, il fut un temps où je marchais dans un bois profond, entre des arbres rapprochés et feuillus. Leurs branches me fouettaient le visage et les bras. Je devais me frayer un chemin, de peine et de misère. Toutes mes forces étaient mobilisées afin de poursuivre ma route. Le feuillage obstruait l'horizon mais, au loin, j'entendais l'appel de la rivière. Dans son lit, elle était là, irrémédiablement; elle m'attendait. Insolente, elle savait que je viendrais tôt ou tard me noyer dans ses eaux. Malgré ma crainte grandissante, j'avançais toujours et, entre les feuilles de plus en plus parsemées, j'ai commencé à l'entrevoir. Le bruit de l'eau se faisait intense, puissant, comme un commandement. Puis, les arbres disparurent progressivement devant mes pas, n'en laissant plus qu'un seul entre la rivière et moi. Comme les autres, il disparut dans le vide laissé derrière moi, et je me suis retrouvé dans les tourbillons de la rivière. Ils étaient froids, montaient sur mon corps et chassaient le sable sous mon poids. Gorgés d'eau, mes vêtements me poussaient vers le fond. En peu de temps, la rivière m'avait volé tout ce qui me restait de vivant pour lutter contre elle. Le courant m'aspirait; il avait atteint mon cou, et par ma bouche ouverte, l'eau s'infiltrait en moi. Mes cris et mon agitation n'y changeaient rien. J'étais prisonnier d'une rivière qui m'emportait avec elle.

Toutes les appréhensions de Jean concernant la mort s'étaient faites miennes avec les années. Comme une seconde peau, la mort m'avait recouvert et m'accompagnait partout.

Pour reconstituer les faits, il m'aura fallu remonter jusqu'en 1980. À cette période, Guy, mon camarade de collège, venait enfin de terminer ses études en travail social. À défaut de devenir un chercheur célèbre, Guy voulait aider les plus démunis en les informant, en leur transmettant ses connaissances. Il avait comme but de lutter contre la pauvreté et de favoriser l'intégration des nouveaux immigrants à notre culture québécoise. Déjà, à l'Université Laval, il aspirait à travailler à Montréal; je m'étais donc réjoui avec lui quand, quelques mois après avoir terminé ses études, il m'avait annoncé qu'il avait décroché un contrat dans un C.L.S.C. de la métropole. Une semaine avant son entrée en fonction, je m'étais rendu avec notre copain et acolyte de bar, Léandre, pour repeindre le petit appartement qu'il avait loué sur la rue Alexandre-de-Sève, juste en face du parc Campbell. Guy se disait au début de la plus passion-nante étape de sa vie. Léandre renchérissait en ajoutant qu'il était en plein cœur du village gay de Montréal et qu'il devait en profiter. Guy se souhaitait, pour lui-même, une relation semblable à celle que je vivais avec Jean. Léandre l'invitait surtout à passer aux actes et à perdre enfin sa virginité.

Au troisième étage de l'immeuble, son modeste appartement avait du style avec ses grandes fenêtres garnies de boiseries donnant sur le parc. Guy lavait ses armoires de cuisine; Léandre et moi, on peinturait le salon. Ce n'est qu'en fin de soirée que l'on s'est fait livrer une pizza et que nous avons mangé les pâtisseries que j'avais achetées le matin même pour nous. Une fois le repas terminé, nous avons repris nos activités : la chambre et la cuisine devaient être fonctionnelles le plus tôt possible. Il était environ onze heures et quart lorsque Guy est venu nous rejoindre dans la cuisine. Son cou et ses joues étaient enflés, gonflés de sang. En état de panique, il nous demanda de l'aider à trouver dans ses boîtes de déménagement son injection contre ses allergies. À notre insu, les pâtisseries que nous avions mangées contenaient du beurre d'arachide. Guy était intoxiqué et, sous l'angoisse du moment, il ne réussissait pas à retrouver ses médicaments. Après un moment, je me suis rendu à l'évidence que nos recherches étaient vaines et qu'il nous fallait contacter des ambulanciers. Le téléphone de Guy n'étant pas encore en fonction, je me suis donc rendu chez les voisins du deuxième étage pour utiliser le leur. Ils étaient là mais, croyant avec méfiance qu'ils risquaient de se faire vandaliser, ils m'ont laissé frapper et hurler à leur porte sans m'offrir leur aide. Il devait être minuit moins quart quand, d'une tabagie de la rue Sainte-Catherine, j'ai enfin rejoint l'hôpital le plus proche. À minuit cinq, les ambulanciers ont constaté son décès. En guise d'encouragement, ils nous ont dit : « Vous auriez dû lui faire une trachée pour qu'il puisse respirer. » Ce fut mon premier contact avec la mort.

Au mois d'août 1982, durant le premier été que j'ai passé à Vancouver, j'ai reçu une lettre de la sœur de Léandre. « Il est parti si rapidement. Le sida avait fait de lui un squelette qui crachait du sang. Nos parents craignaient d'être infectés par sa maladie... C'est

207

pourquoi j'étais seule à son chevet quand il est mort. En le regardant si vulnérable et courageux à la fois, j'avais peine à croire qu'il n'avait que vingt-quatre ans et que ses rêves d'autrefois disparaissaient avec lui. » Deux ans plus tard, Luc le rejoignit. Luc, le grand *chum* de Jean, qui déjà, à vingt-cinq ans, affirmait avec verve que la vie était ingrate. Quand, quelques années plus tard, son médecin lui confirma que le sida prenait le dessus sur sa santé et qu'il ne lui restait plus que peu de temps à vivre, il était demeuré stupéfait en le dévisageant. Il est mort à trente-deux ans. Les dernières semaines de sa vie, il les passa dans un silence total.

Après lui, le décompte se bouscula à une vitesse folle : M. Forcier était mort de peur; ma mère, de peine de s'être retrouvée dans une grande maison sans enfants; mon père, par résignation; Richard, un copain de ballon-volant, écrasé en traversant la rue; Suzanne, sans même avoir eu le temps d'y penser; Allen, mon voisin de condo, pendu trois heures après avoir reçu le diagnostic du médecin... et Seth, par manque d'amour.

Puis, une nuit de novembre où il pleuvait violemment, Mario est mort, emporté par une pneumonie.

Cette nuit-là, où ce fut « son tour », je me suis assis à la table de la cuisine pour rédiger la liste de « mes » morts. Tous ces morts qui étaient partis avec une part de moi-même et qui me revenaient en mémoire pour me torturer, mais qui me laissaient seul quand je les implorais de m'aider. Combien de noms sur ma liste? Vingt-cinq? Trente? Malgré mes efforts, mes joies quotidiennes, mes études, mon travail, ma famille, Jean ou Seth, progressivement, pendant une quinzaine d'années, la mort s'était faite omniprésente. Dans ma tête, les cadavres s'entassaient, brouillaient mes pensées et blessaient mon cœur. De l'appel de la rivière des années 1980, je me suis retrouvé en pleine tempête en 1993. La mort me laissa désabusé, sans larmes, avec une peine sèche qui me broyait les entrailles. Le sol inondé d'amour, où j'avais jadis été heureux, était devenu un sol craquelé, dévasté. À la fin de cette nuit où j'ai revu tant de visages aimés me demandant : « Te souviendras-tu de nous? », je suis sorti sur le balcon pour déchirer ma liste et l'envoyer dans le vent se perdre aux quatre coins du monde. En la regardant tournoyer, comme des confettis de mariage, j'ai compris qu'il existait différentes formes de deuils et que la mort ne représentait peut-être pas la pire d'entre elles. Après avoir songé à Jean, à sa sœur Cécile et à son frère René, un poignard au cœur, j'ai ressenti que la mort était plus facile à accepter que le silence des vivants.

Sans trop réfléchir, au moment où les derniers fêtards de la nuit croisent les travailleurs qui commencent à sortir dans les rues pour débuter leur journée, je suis entré dans mon logement en laissant la porte de mon balcon ouverte et, assis sur mon divan, j'ai composé le numéro de téléphone de Jean. Il devait être sur le point de se coucher, car il répondit au premier coup.

— Oui, allô!

— ... Bonjour Jean, c'est moi, Félix. Est-ce que je peux te parler deux minutes? Je sais que tu m'as demandé de ne plus te téléphoner, mais j'ai besoin de savoir si tu es heureux.

— Ça fait longtemps!

— Plus de deux ans... Comment vas-tu?

— Tu connais le vieux dicton : « Pas de nouvelles, bonnes nouvelles! »

— Entre nous, ce n'est pas forcément le cas. Est-ce que tout est sous contrôle pour toi?

— Le contrôle, encore et toujours... Tout comme ta détermination habituelle, tu ne changes pas! Je te reconnaîtrais partout. Pour répondre à tes questions avant que tu ne deviennes trop insistant, je te dirais qu'il y a des hauts et des bas. Mes questions existentielles sont toujours sans réponse, mais je vais tout de même bien. Je suis en *modus vivendi*, c'est une façon de vivre avec moi-même qui me convient pour le moment. Dis-moi maintenant pourquoi tu me téléphones aujourd'hui. Es-tu à Québec?

— Non. J'avais le goût d'avoir de tes nouvelles. Réalises-tu que t'aurais pu mourir il y a six mois et que je ne l'aurais pas su?

— Ce retrait, c'est mon choix. Ça ne vaut pas la peine de... Je suis encore désorienté, Félix. Tu as au bout du fil un vieux serpent qui mue sans arrêt et qui n'en finit plus d'exposer sa peau nue à l'air froid. Est-ce que ça te satisfait?

— Tes paroles ne m'ont jamais blessé autant que ton silence. Pourquoi l'on ne se redonnerait pas des nouvelles l'un à l'autre de temps en temps? On peut sûrement inventer une façon de rétablir le contact. Nous avons repris la route ensemble tant de fois. Tu es le seul être que je connais qui me parlait du fleuve et de ses tourments, en me parlant de nous...

— Nous sommes mieux de ne pas devenir trop nostalgiques.

— Il faut que tu saches que je n'ai jamais souhaité notre rupture. J'ai simplement cru que notre relation était à l'épreuve de tout et que je pouvais tout avoir : l'amour et l'aventure en même temps, sans que ça ne blesse personne. Je m'étais trompé encore une fois... Peux-tu me pardonner?

— Je n'ai rien à te pardonner. J'ai vécu avec toi les plus belles années de ma vie. On ne s'est jamais ennuyés. Je connais personne autour de moi qui en a eu autant. Avec le recul, je comprends que tu as été sage de partir avant que l'on commence à se mentir comme tous les bons vieux couples qui se respectent.

— On n'est pas tous obligés d'en arriver là!

— C'est ce qui nous serait arrivé et tu le sais très bien!

— Pas forcément! Rien de ce que nous avons vécu ne ressemblait aux autres.

— Ça nous a pas empêchés de finir comme eux. Au fait, comment va Seth?

— Il est décédé depuis déjà plus d'un an.

— Du sida?

— Peu importe.

— Du sida?

— Oui, comme la moitié du monde autour de moi. Ça change quoi que tu saches ça? La mort, c'est la mort! Il n'est plus là. Ils ne sont plus là. Je ne veux plus en discuter. En te téléphonant, c'est de ta vie que je voulais entendre parler.

— Elle n'est pas très forte.

— Je pourrais peut-être t'épauler?

— Ce n'est pas nécessaire, il y a plein de jeunes infirmiers à l'hôpital qui sont à mon service.

— Tu sais très bien ce que je veux dire...

— Si Seth est mort du sida, tu dois en avoir ras-le-bol de soigner des mourants.

— As-tu le sida?

— Ben non. J'ai jamais eu une seule MTS de toute ma vie. On peut être gai et mourir d'autre chose que du sida. C'est le cancer que j'ai!

— Laisse-moi revenir près de toi.

— Ne fais pas ça.

— C'est ça, je t'ai perdu toi aussi, en voulant trouver un sens à ma vie! As-tu souffert au point que je ne peux rien dire pour te convaincre?

— N'en parle pas au passé; mon présent n'est pas mieux.

— Je me sens inutile quand tu parles comme ça.

— Tu le serais encore plus si tu étais à mes côtés. Ne te fais pas d'accroires. Ce n'est pas que l'on reprenne le contact entre nous qui t'intéresse... Tu t'ennuies de notre histoire d'amour. Tu voudrais peut-être recommencer, mais je n'en ai plus l'énergie. Si les dieux existent, disons qu'ils sont occupés ailleurs, ou qu'ils m'ont oublié. Mais toi, je te connais. Tu aimes rigoler, voyager, aller au cinéma, faire l'amour. Je n'en suis plus capable. Tes nuits seraient longues. Il y a bien deux mois que je n'ai même pas eu la force de me rendre dans un restaurant; alors, pour l'amour, tu repasseras. Je ne peux rien te donner.

— Moi, je pourrais...

— Il faut que je te le répète? J'ai le cancer, Félix. C'est mon unique destin. Ta quête d'amour, de bonheur, demeure ta seule vérité incontournable. Dans le ciel de ta vie, il y aura d'autres moments faits de la douleur et de la joie de vivre, ne les gâche pas au pied d'un lit de malade. Protège-toi!

— Tu me mets en garde contre quoi? Tu crois que je ne serais pas assez fort pour te prendre tel que tu es?

Me juges-tu trop lâche pour reprendre avec toi en sachant que tu es malade?

— T'aimerais pas ça. Reste avec tes souvenirs, ils sont plus jolis.

— T'as peur que si je revenais à Québec, tôt ou tard, j'aurais de nouveau le besoin de partir et qu'à ce moment-là tu serais incapable de le vivre! Je ne peux pas t'en vouloir de ne plus avoir confiance en moi. D'ailleurs, je ne possède aucune certitude et je ne sais pas si mon ego ou ma culpabilité serait capable de revivre une autre rupture avec toi. Mais puisque j'ai toujours le manque de toi, pourquoi ne pas se retrouver? Même si c'est incertain, tout croche, on se dira que ce sont des gestes d'amour maladroits peut-être… mais vivants.

— Prends-le comme tu le veux; mais, si un jour tu reviens à Québec, ne sonne pas à ma porte pour rien. Je ne t'ouvrirai pas.

– 15 –
Une vieille Chinoise
qui parlait l'anglais
– 1994 –

Quatre mois après que Jim eut accepté un poste de directeur-adjoint dans un collège à Victoria, Juliette donnait sa démission et retournait vivre avec le reste de sa famille aux États-Unis. Malgré nos tâches déjà nombreuses, son poste fut aboli et ses dossiers répartis entre les autres membres de l'équipe. Ce n'était pas la première fois qu'une telle situation se produisait et l'augmentation de la masse d'informations à traiter contribuait à accroître la surcharge de notre travail. De plus, notre nouvelle directrice ne semblait pas comprendre que nous étions dans un centre d'aide à la population et se comportait comme s'il avait été question d'une usine de poulets. Son attitude pragmatique avait dilapidé en peu de temps le dynamisme que Jim avait implanté au sein de nos réunions. Semblables à des survivants qui se seraient retrouvés dans les décombres d'un avion écrasé au sol, mes collègues étaient déjà fatigués avant même que j'aie eu le temps de leur proposer quoi que ce soit comme changement. Leur désintéressement était en lien direct avec leur sentiment d'être dépassés par le contexte. Notre réalité au travail nous submergeait sans que notre nouvelle directrice ait proposé des solutions, des alternatives, pour retrouver le contrôle de la situation, et nous redonner le goût de nous impliquer. Malgré tout, ne connaissant plus de meilleure façon de me valoriser, j'avais fait en sorte que mes dossiers soient plus vivants que je ne savais l'être moi-même. Pour éviter d'avoir le temps d'exister, j'avais remplacé mes soirées avec Mario par du travail que j'apportais chez moi. À mon grand étonnement, j'avais gardé la situation en main, du moins jusqu'au jour où j'ai entendu un bébé qui pleurait dans la salle d'attente située près de mon bureau.

C'était en novembre et, malgré l'heure matinale, le centre bouillonnait déjà d'activités. C'était en sortant de mon bureau pour aller me chercher un café que j'avais remarqué l'embarras d'une jeune femme qui ne réussissait pas à contrôler les pleurs de son enfant qu'elle tenait dans ses bras. Afin de diminuer la tension croissante dans la salle d'attente, je lui avais offert d'installer son enfant sur mon bureau pour quelques minutes. À mon retour, elle avait étendu un lainage sur ma table de travail et son enfant reposait en silence sous le regard triste qu'elle posait sur lui. En m'approchant d'eux, j'avais constaté combien le corps de l'enfant était minuscule. En fait, c'était un bébé de quelques semaines à peine. Pour mieux voir ses petites mains et son visage, je m'étais approché de lui. Sur sa tête et sur son bras droit, des bandelettes médicales étaient déroulées en formes circulaires. Après l'avoir interrogée sur la santé de son bébé, la jeune femme aux yeux sombres s'était mise à pleurer. Son enfant était né avec une double fracture du crâne et un bras cassé. Dans des moments de folie, son mari l'avait battue pendant sa grossesse. Elle m'en avait parlé avec la honte d'elle-même dans la voix.

Après leur départ, j'avais refermé la porte de mon bureau et j'étais resté seul avec ma révolte. En moi, j'avais cherché une parole, un réconfort qui me serait venu de mon père, de ma mère ou de Mario et qui m'aurait aidé à accepter l'injustice d'une situation où un enfant était déjà victime de la vie avant même d'avoir poussé son premier cri, mais rien n'était venu à mon secours. Je prenais conscience que j'étais désormais seul face à l'absurdité de la vie.

Dans la nuit qui suivit, un rhume qui devait par la suite se transformer en grippe, puis en bronchite, me laissa sans sommeil. Quatre mois plus tard, j'étais hospitalisé pour la première fois de ma vie. Après avoir craché du sang pendant des jours et vomi les trois quarts de mes repas quotidiens, je m'étais retrouvé à l'hôpital avec un empoisonnement de sang causé par mes poumons qui ne respiraient plus qu'à huit pour cent de leur capacité. Affaibli, mais de retour chez moi, je devais m'appuyer aux murs pour être capable de marcher. Si je ne m'étais pas rendu par moi-même à l'urgence, je serais probablement mort à cette période-là et, peu importe ce que les médecins en disaient, j'avais ma propre version des faits. La maladie n'y était pour rien; mes maux physiques ne faisaient que pointer du doigt où j'étais rendu dans ma vie. Mon nez bouché dénonçait toutes ces situations que je ne pouvais plus sentir; ma toux représentait ma colère, ma révolte contre le manque de justice; ma bronchite m'oppressait, comme la mort et les ruptures m'avaient laissé; mon empoisonnement de sang n'était que le résultat de trois années de culpabilité face à mes choix personnels. Avec rigueur, j'analysais et comprenais ce qui m'arrivait, sans jeter le blâme sur des éléments extérieurs. Une seule question demeurait pourtant sans réponse : « Pourquoi m'étais-je rendu à l'urgence? » J'en étais à cette réflexion lorsque Marie me téléphona.

— ... C'est lourd sans bon sens, ce que tu me dis là. Il te faut une grâce d'en haut pour passer à travers.

— C'est effectivement très lourd d'être réaliste.

— Alors qu'est-ce que t'attends? Faut-il que le ciel t'enlève tous ceux que tu aimes pour que tu te tournes, toi aussi, vers les cieux?

— Arrête de parler comme maman, veux-tu? Ça me tape sur les nerfs les histoires de bon Dieu omniprésent et tout puissant, qui ne fait rien pour soulager la nature humaine. Ton pauvre Jésus était seulement un philosophe sympathique, on n'aurait jamais dû en faire une religion. Sors-tu de ta cuisine des fois? Lis-tu les journaux? L'injustice, ça devrait te dire quelque chose! Réveille-toi!

— Sans la religion dans ma vie, Félix, je m'étendrais sur le sol et me laisserais mourir. C'est vers elle que je me tourne quand ma petite Suzanne est malade ou que Arthur et Hélène ne vont pas bien.

— Si c'est ce que ça te prend pour rester debout, je ne te l'enlèverai pas, ta « béquille ». C'est déjà assez épuisant de se porter soi-même!

— Pourtant, si tu laissais Dieu s'occuper de toi, la mort ne serait pas une perte, mais une autre façon de communiquer...

— C'est pas le bon Dieu qui va me redonner le monde que j'ai perdu. Tout ce qui me reste pour les faire revivre encore un peu, c'est l'amour que j'avais pour eux.

— Alors pourquoi tu leur demandes pas de t'aider?

— Parce que... Même l'amour des morts, je sais plus quoi en faire!

— Tu dois avoir vraiment mal pour parler comme ça, Félix. Le bon Dieu, appelle-le comme tu veux, ça peut être l'énergie cosmique ou le soleil, il est là aussi pour toi. Sers-toi en pour partir de là. Reviens à Québec te refaire des forces. Tu dois repartir à neuf.

— Québec, c'est pas du nouveau; c'est là que sont enracinées les images de mon passé les plus oppress-santes. Pour m'aider à respirer quand je manque d'oxygène, je m'invente un scénario où la ville a sombré dans le fleuve après mon départ. J'aime mieux croire que je n'y ai jamais vécu, plutôt que de ressentir l'angoisse d'y avoir vécu pour rien.

— Va ailleurs si tu le désires. Tu es encore jeune.

— J'ai trop de souvenirs pour me sentir jeune.

— À trente-cinq ans, tu peux encore tout recom-mencer.

— Il ne me reste même plus un seul ami de collège ou d'université. Je veux rien recommencer. J'aimerais seulement réparer le mal que j'ai pu faire autour de moi. Les chemins que je n'ai su prendre pour atteindre le bonheur m'empêchent de connaître la paix; et en les abordant, je crains de les amplifier et qu'ils en arrivent à m'écraser. En fournissant à la réalité une explication, une justification, elle devient de plus en plus malsaine, anormale, problématique. Enfant, je t'ai déjà fait rire en te demandant si l'on pouvait s'empêcher de pleurer dans un champ d'oignon à perte de vue. Aujourd'hui, je peux te dire qu'après un certain temps on n'a plus de larmes. C'est tout ce que j'ai appris de la vie.

— Le bonheur n'est qu'une capacité de vivre à parfaire. Fais ce que tu veux, va n'importe où mais sors de là au plus vite; sinon, je vais te chercher!

***

La réussite se compose de trois éléments de base. Le premier consiste à entretenir l'espoir, le second à se trouver au bon moment dans le contexte favorable, et le troisième réside dans notre capacité de se prendre en main, notre volonté de s'en sortir. J'ai trouvé mon élément déclencheur dans les jours qui ont suivi l'appel de Marie, en attendant l'ascenseur dans mon immeuble. Des voisins de palier m'ont demandé si mon condo était à vendre, car un membre de leur famille, nouvellement arrivé de Hong Kong, s'en cherchait un dans le quartier. Sept semaines plus tard, j'avais obtenu mon congé sans solde pour un an à mon travail, la plupart de mes meubles étaient vendus, mes livres et documents personnels remisés dans un entrepôt, et je partais, libéré d'un poids, en direction de l'Asie, pour réaliser un de mes vieux rêves et, par procuration, ceux de Mario.

***

En Chine, il y a la foule qui fourmille, des fleurs aux pétales lourds, le mur qui s'étend de l'est à l'ouest, des vieux qui se promènent en sandales en portant l'espoir de leurs ancêtres sur leur visage, et les plus jeunes qui arborent leurs nouvelles convictions tel un blouson de cuir. Un peu comme si chaque Chinois était un cuisinier en puissance, des odeurs de nourriture, bonnes ou mauvaises mais jamais fades, les accompagnent dans chacun de leurs déplacements. Mes forces physiques me revenaient. Je me suis glissé le plus simplement du monde dans cette mer humaine où les marées fluctuent selon les heures de pointe. Dans les marchés libres qui pullulent tout le long des rues, j'y ai vu des marchands de fruits, de légumes, d'oiseaux, de calendriers. À part le portrait en couleurs de Mao, place Tian An Men, et quelques statues du grand timonier oubliées dans quelques établissements publics, je n'ai croisé, dans les grandes villes de Chine, que très peu de monuments élevés à des dirigeants. Comme en Occident, ce sont les panneaux-réclames consacrés aux produits de consommation qui envahissent l'espace humain. Nationaliste et révolutionnaire, la Chine qui se vante d'avoir surmonté la famine n'en demeure pas moins attrayante, ainsi qu'insaisissable dans ses diverses dimensions culturelles et ses secrets. Pourtant, plus je me mêlais aux millions de gens qui m'entouraient et moins je me sentais dépaysé. Si bien que, quittant le pays, un sentiment de solidarité entre les peuples m'habitait davantage qu'une impression de différence.

Au Vietnam, tout le monde parle vietnamien, les aînés le français, et les jeunes l'anglais. La communication était alors plus facile entre eux et moi. En profil sur un paysage magnifique, deux frères dans la quarantaine m'ont affirmé que le Vietnam était le pays le plus asiatique de l'Asie. En dépit de certains aspects fabuleux et parfois rocambolesques de leur histoire entièrement vouée à la révolution, les personnes rencontrées sur ma route m'apparurent surtout attachées à leur terre. Comme dans certains villages québécois, leurs valeurs étaient imprégnées d'esprit familial, de détails associés aux saisons et d'efforts collectifs. Ils me reflétèrent l'importance de nos racines.

Au début de l'été, je me suis retrouvé à That Phanon, une petite ville thaïlandaise le long du Mékong. Étrangement, cette petite ville, avec son architecture franco-chinoise, se partage entre deux pays. Les lundis et jeudis, le marché est ouvert aux Laotiens et, pour les besoins de la cause, la frontière est reculée de quelques dizaines de mètres sur la rive thaïlandaise. Coincé dans le marché où des centaines de commerçants laotiens s'étaient installés pour la journée, j'avais décidé de louer une bicyclette pour échapper aux transactions bruyantes qui s'échauffaient avec les heures. Dans la direction du sud, j'ai découvert une suite de rapides sur le Mékong. Autour de moi, la végétation se faisait semblable à une étreinte et, d'une colline à une autre, le spectacle du fleuve appuyé sur le Laos devenait toujours plus puissant. À bout de souffle, je suis descendu de mon vélo pour mieux ressentir la force des choses. Désarmé, conquis par le poème vivant qui se déroulait devant moi, le paysage me transmit ses nuits sombres et ses matins clairs, sur lesquels en aucun instant son espoir de continuer n'abandonnait.

J'étais rendu de l'autre côté du miroir. Le moment était si pur, qu'il n'y avait plus de place pour les illusions. Je venais de franchir une étape où je laissais sombrer dans le vide, sans y penser, tout ce qui rendait ma vie lourde. Si une vieille Chinoise qui passait par là ne m'avait interpellé, j'y serais peut-être encore, pour le reste de mon existence. Dans un anglais rudimentaire, elle m'offrit un massage pour quelques bahts. Sur la rive du fleuve, elle disposa une couverture et me fit signe de m'étendre après avoir enlevé la majeure partie de mes vêtements. Assise sur mes cuisses, elle répandit sur mon corps une huile parfumée aux fruits et, tandis que ses mains se promenaient sur mon corps, elle prononça des paroles simples qui me touchèrent autant que ses gestes : « *Now you are above mankind, above the spirits... Your mind is free of suffering, of hate, of death. Your mind is free. Totally free.** »

Depuis des mois, personne ne m'avait touché physiquement et, même si le massage n'avait rien d'exceptionnel en lui-même, la seule présence de la vieille dame près de moi me transporta dans les bras de ma mère, puis dans ceux de Jean. C'est à lui que je pensais d'ailleurs lorsqu'avant de me quitter elle me félicita pour la simplicité et l'honnêteté de mon tatouage. « *You are lucky to know a true love.*** »

Trois semaines plus tard, Jean recevait dans son courrier du matin la lettre suivante :

26 mai 1994

Bangkok
Bonjour Jean,
Confucius disait que l'on n'entrait jamais deux fois dans la même rivière; avec le temps, j'ai accepté son point de vue; nous ne recommencerons donc pas deux fois la même histoire d'amour. Pourtant, la mort et la vie sont souvent trop près l'une de l'autre pour que l'on se prive de vivre entre les deux. C'est pourquoi j'aimerais te revoir, car rien de ce que je connais en ce monde ne saurait rivaliser avec l'amour fou que ton seul prénom éveille en moi et ce, même seize ans plus tard.

---

* « Maintenant, tu es au-dessus des gens, au-dessus des esprits… tes pensées sont sans souffrance, sans haine, sans mort. Ton esprit est libre. Totalement libre. »
** « Tu es chanceux de connaître un amour vrai. »

La nature de l'amour semble exiger qu'il passe obligatoirement par la mémoire. Je reviens donc à toi, puisque tu es le seul qui peut combler le vide que tu as laissé dans mon cœur.

Dans ma recherche d'un sens à la vie, je me suis promené dans mon passé pour y comprendre mon présent, mais j'y ai perdu bien des choses. La minceur de mes traits tirés et malades annonce, mieux que n'importe quels mots, que j'ai souffert. Tu comprends ce que je laisse sous-entendre, n'est-ce pas? Alors, avant qu'il ne soit trop tard, j'ai une proposition à te faire.

Le 13 juin prochain, en provenance de New York, un navire entrera au Vieux-Port de Québec. Il aura à son bord un sombre raton laveur venu retrouver son lapin de longue date. Si tu croises ce lapin sur ta route d'ici là, dis-lui que si le 13 juin, à l'arrivée du raton au Vieux-Port, s'il le prend dans ses bras, plus jamais le raton ne retournera à Vancouver.

Je t'aime.

Félix

– 16 –

Rien ne peut empêcher la mer
de caresser la grève

L'embouchure du fleuve Saint-Laurent se dessinait à peine sur l'océan que déjà tout mon corps tressaillait d'émoi. Avec les mouvements du navire, je reconnaissais çà et là les côtes, les villages, les couleurs tendres, les grèves dénudées de la Gaspésie, les montagnes de Charlevoix. Envoûté par l'odeur saline à laquelle se mélangeaient celles de la campagne et de la ville qui se rapprochait, j'ai cru entendre les rires de l'enfance, les soupirs de l'amour. Enfin, toutes les étapes de ma vie prenaient un sens, devenaient nécessaires pour que cette journée soit différente des précédentes. Mon passé me procurait une dimension accrue, une vision globale de mes choix : j'étais de nouveau envahi par le sentiment d'être de retour chez moi. Rien ne m'apparaissait avoir été vécu sans raison, puisque dans mes émotions le doute n'avait plus sa place. Ivre de ressentir mon cœur bondir de désir, aucun obstacle n'aurait su diminuer ma détermination à revoir Jean. Il serait là. J'en étais persuadé; mais dans quelles dispositions? Nous laisserait-il tout recommencer?

Avec l'entrée du navire dans le Vieux-Port, j'ai eu chaud, j'ai eu froid, puis, soudain, la certitude de sa présence me prit en charge. Sur les ponts du bateau, comme sur la passerelle qui me conduisait au quai, dans un coin retiré, entre de vieux barils, le regard de Jean était devenu mon point de mire, mon but à atteindre.

Avec espoir, j'avais souhaité qu'il ait choisi cet endroit pour mieux favoriser l'expression de notre intimité. Sans bouger, il me laissa ramasser mes bagages et me diriger dans sa direction. Il avait vieilli, mais ses nouvelles rides autour des yeux n'y changeaient rien; il était aussi ému que moi, que l'on soit de nouveau ensemble au Vieux-Port. Sans attendre que je sois tout près de lui, il avait ouvert les bras pour m'enlacer. C'est à peine si j'ai pris le temps de le regarder avant de le serrer tout contre moi mais, sous ses vêtements, mes mains ont reconnu la générosité des élans de son corps, malgré les ravages d'un cancer qui l'avait amaigri. Toujours sur place, on s'est dévisagés; dans les rires et les pleurs, on s'est embrassés sans tenir compte des passants sur le quai. Ces instants passés dans ses bras furent parmi les plus déterminants de mon existence. Je les avais trop espérés pour ne pas en profiter.

— Jean, mon Jean, il faut que je te dise certaines choses...

— Ce n'est plus nécessaire. On a déjà tellement parlé.

— Il le faut. J'ai été un peu... dégueulasse.

— Et moi, un lâche! Alors on fait une belle paire!!

— Je n'ai jamais pensé que tu étais un lâche.

— Pourtant, j'en suis un. Ça fait presque quatre ans que je vis en fonction de me protéger.

— Laisse-moi t'expliquer.

— Surtout pas. Nous avons fait ce qu'il fallait pour ne pas sombrer dans l'indifférence de l'amour; et voilà que, de nouveau, tu as ce même air fébrile, embarrassé, que tu avais en juin 1978 quand nous sommes venus marcher au Vieux-Port pour la première fois. Ce que nous voulions, c'était de retrouver ces émotions qui nous manquaient. Nous y sommes. Pourquoi ne pas en profiter?

— J'aurais pu trouver mieux!

— Pour utiliser un vieil adage que tu connais bien : le mieux est souvent l'ennemi du bien.

— Tu as souffert pourtant!

— Toi, t'es-tu suffisamment puni toi-même pour être capable de tourner la page? Es-tu venu jusqu'ici pour égratigner ta culpabilité ou pour me parler d'amour?

— Je t'ai fait vraiment beaucoup de mal...

— Oui et non. C'était aussi mes « bébittes » à moi, mais j'ai pas le goût de m'étendre là-dessus. Il y a des journées, comme celle-ci, où la tendresse de la vie se surpasse elle-même, et c'est tout ce que je veux savoir. Laissons nos fonds intérieurs disparaître dans le fleuve. Il y a en lui une force, une passion, qui font que jamais l'eau de la mer n'arrêtera de caresser toutes les grèves de la planète. Le fleuve est plus fort que nous. Donne-lui tes explications. J'ai fait la même chose en voyant arriver un peu plus tôt, un navire qui ramenait à Québec le raton laveur que j'espérais.

— Ce pauvre raton n'a plus beaucoup de carottes à offrir au beau lapin. Son jardin est en jachère depuis un certain temps.

— Le lapin n'est peut-être jamais allé vers le raton pour ses carottes? Avec le temps, n'as-tu pas compris qu'il y avait autre chose entre eux? Regarde bien au fond de mes yeux, sa source de motivation s'y cache quand mon regard t'a repéré dans son champ de vision. D'ailleurs, je te trouve encore plus beau qu'avant. Tu as simplement un peu maigri. Ta mine est meilleure que la mienne; mais, si tu le veux, on peut parler de ta santé. Et pourtant, l'échéance, l'éventualité de la mort nous oblige à vivre encore plus à fond, que de faire des mises au point. Ne perdons pas trop de notre temps avec le passé. Faisons simplement avancer notre histoire encore un peu. Je me suis tellement ennuyé de ce sentiment de liberté qui m'habite chaque fois que l'on se retrouve ici, près du fleuve, et que l'on contemple les navires amarrés.

— Crois-tu que les navires du Vieux-Port se souviennent de nous?

— Sûrement, s'ils ont autant de mémoire que toi!

En remontant le grand escalier qui nous menait à la haute ville, le souffle nous manquait, alors Jean appuya sa main sur mon épaule et, par ce simple geste, il ajouta de la vie dans la mienne. Malgré le temps qui s'amuse à tout changer, son contact était demeuré le même et j'ai pris plaisir à le ressentir. D'un seul coup, toutes les autres marches qu'il nous restait à monter m'apparurent moins épuisantes. La tête un peu de côté, Jean me sourit et me dit : « C'est quand même plus facile à deux! »

– 17 –

Un long « je t'aime »

Dans son appartement du Vieux-Québec, tout était demeuré semblable et différent à la fois. Malgré la distance que nous nous étions imposée, Jean n'avait rien jeté de notre passé. Alimenté par les détails de notre vie quotidienne, le temps se mit à couler sans altérer la paix intérieure que j'avais retrouvée. Comme nous ne l'avions jamais ressenti auparavant, des années faites de béatitude ont pris refuge chez nous. Nous étions de nouveau vivants, intimes, utiles, généreux, satisfaits, présents. Tel un long frisson bienfaisant, l'urgence d'être ensemble et le besoin de savoir l'autre comblé s'amplifiaient à mesure que la santé de Jean disparaissait. Sous la menace de ses jours décomptés, même les choses les plus simples se transformaient en besoins vitaux. Pourtant, plus les mois s'enchaînaient, et plus Jean devenait serein face à l'existence.

Après lui avoir avoué que je n'étais pas séropositif, mais que j'avais laissé planer le doute dans ses pensées pour qu'il me laisse revenir près de lui, Jean me demanda à plusieurs reprises de le quitter pour un autre, plus vivant, plus vigoureux que lui. Je l'écoutais tranquillement et je terminais ses phrases par des « moins authentique », « moins intense », « moins vrai ».

Puis, un matin de septembre, pendant l'été des Indiens, alors que le niveau du fleuve était à son plus bas et que la grève s'étirait à n'en plus finir, le médecin avait dû augmenter considérablement la dose de médicaments pour que la vie ne se retire définitivement de son corps. Pour la dernière fois, d'une voix frêle comme un soupir, Jean me demanda de le quitter.

– Je n'aurai plus jamais cette impression d'avoir vécu pour rien. Tant pis pour toi, je reste!

– Très bien, tête dure, mais si tu restes, tu devras m'aimer jusqu'à la fin, par exemple!

Dans sa chambre orientée vers le soleil du matin, nous avons connu des instants de grâce, lorsque nous déjeunions calmement en tête-à-tête. Le reste du monde aurait pu disparaître que je n'aurais détourné mon attention de ses mains, de sa barbe toujours trop forte, de ses yeux toujours si bruns. Pendant ce dernier automne, malgré la maladie, je l'ai trouvé sincèrement l'homme le plus troublant qu'il m'ait été donné de connaître. Le plus beau dans toutes ses facettes. Le laver était devenu pour moi une chance ultime et, bien égoïstement, ma plus grande joie demeurait de le sentir réconforté par ma présence.

Dans mon enfance, j'avais déjà entendu mon père dire : « Ce que tu fuis te suit, ce que tu affrontes s'estompe. » Avec Jean, j'ai apprivoisé ma peur de la mort et de l'amour au quotidien. Le reste de ma vie, j'aurai à comprendre ce qu'il y a de changé en moi et que je ne comprends que par moments.

À l'image de sa vie, ses fièvres furent tourmentées, fougueuses et incessantes. Le 21 janvier 2001, au moment où le soleil se levait, alors que les premiers rayons de soleil entraient dans sa chambre, un vent de liberté est venu frapper à la fenêtre près de son lit, et Jean est parti avec lui.

Je ne serai jamais rien d'autre que ce que je suis, mais le long « je t'aime » passionné, qu'il a laissé sous ma peau m'accompagnera toute ma vie. Il n'y a plus de presse, la maladie ne peut plus rien contre nous. De toute façon, Jean s'est incrusté en moi comme aucun tatouage ne saurait le faire. Je n'ai plus qu'à l'aimer en silence, puisqu'il est mon plus beau secret.

***

Un moment de plénitude s'impose à moi quand je pense à Jean. C'était quelques jours avant sa mort. Il avait enlevé lentement ses lunettes et les avait déposées dans mes mains, mais juste avant, il m'avait dit à voix basse: « Ce qu'il y a de merveilleux et de rassurant dans cette situation sordide, c'est que je peux enfin te dire que je t'aimerai toujours. »

Les Rendez-vous secrets

ASSOCIATION
NATIONALE
DES ÉDITEURS
DE LIVRES

GARANT DES FORÊTS
INTACTES

Imprimé à Montréal
sur les presses de
Marquis imprimeur
2009